徐武軍 徐元純 輯

徐復觀教授看世界——時論文摘

四之三卷 政治 軍事

臺灣學生書局印行

序

徐復觀先生是著名的思想家與思想史家，現當代新儒家之重鎮。徐先生一生在學術與政治之間，「以傳統主義衛道，以自由主義論政」。他是風骨嶙峋的勇者型的人物，時常批評政治，在政治上主張民主、自由、人權，有道德勇氣。他肯定中國知識份子的使命感、入世關懷、政治參與和不絕如縷的犧牲精神。他身上體現了人文知識份子以價值理念批評、指導、提升社會政治的實踐品格。在文化上，他是中華民族文化根基的執著守護者，曾誓言「要爲中國文化當披麻戴孝的最後的孝子」。

一九四九年以後，唐君毅、牟宗三、徐復觀三先生客居香港、臺灣，共同弘揚中國傳統文化精神。與唐、牟兩先生不同的是：徐先生不是從哲學的路子出發的；對傳統與現實的負面，特別是專制主義政治有很多批判；有庶民情結。徐先生是集學者與社會批評家于一身的人物，是文化守成主義陣營中最具有現實批判精神、最易於與自由主義思潮相頡頏又相呼應的代表人物。

徐先生寫了三十多部專著、文集，發表過近百篇學術論文和數百篇時論、雜文。徐先生學術的代表作是三大卷的《兩漢思想史》，以及《中國人性論史》（先秦篇）、《中國藝術精神》、《中國經學史的基礎》、《中國思想史論集》及其續編等。作爲思想史家的徐復觀，對中國思想史的總體，特別是對先秦兩漢思想史、中國藝術史下了極大的功夫，有精到的研究。

作爲「學術與政治之間」的人物，他的政論雜文聞名於世，不僅數量豐富，且其文風雄健，眼光獨到，極具批判鋒芒，可謂鞭辟入裏，在中國現當代思想史上影響甚巨。他特別表現了儒家的抗議精神，他所留下的大量的「學術與政治之間」的時評，與思想史著作相得益彰，頗能表現他的風骨和他的學術的特點。他是從人的具體生命與生活的體驗出發，來做學術研究的，他的學術與人民的生活有密切的關聯。

徐復觀先生的哲嗣、長公子徐武軍教授等主編、整理了《徐復觀全集》，於二〇一四年由九州出版社刊行。近年來，武軍教授與女兒元純小姐從復觀先生三百餘萬字的「時論」中，摘、輯了六百餘則的文句，內容涵蓋了徐復觀先生要傳送給社會的訊息，和他對社會的觀察、批判及建議，編成本書。編者的初心，是期望能比較全面的、完整的呈現出徐復觀教授人生中廣接地氣的一面。

編者很有眼光，費心選編了本書，內容包含了自敘、讀書和研究的方法與態度、智識份子、教育、文化、藝術、文學、政治、軍事等方方面面，並附錄了兩文以便讀者瞭解復觀先生的人生經歷與生命精神。

近來拜讀了編者擇取的徐先生的精粹文句，深受教益。尤其是徐先生有關如何理解傳統與現代、東方與西方、中國文化、民主政治的論述，我覺得是非常深刻的，對今天的我們仍然啓發良多。

徐先生說：「我的根本動機和努力的方向，都在中國文化的再認識，想由此以確定中國文化的內容、意義、地位，以幫助中國人在精神上能站起來。」

「中國文化對今後人類之有無價值，不關於其與西方文化之有無相合，而關於其曾否提出在西方文化中所未曾提出之問題、方法與結論。」

他又說：「一個人讀了書而腦筋裡沒有問題，這是書還沒有讀進去，所以只有落下心來再細細的讀。讀後腦筋裡有了問題，這便是叩開了讀書的門，所以自然會趕忙的繼續努力。」

不僅在文化問題上，不僅對於我們的讀書與思考，細讀本書，我們會在很多方面獲益匪淺！我覺得這裡有振聾發聵的聲音，當頭棒喝，醍醐灌頂！我竭力向讀者推薦本書，特別希望青年學子都來讀這本書，不爲別的，只爲昇華各位自己的精神生命！

是爲序。

郭齊勇　戊戌年春節于武漢大學

編者序

我們從徐復觀教授（一九〇三－一九八二）三百餘萬字的「時論」中，摘、輯了六百餘則的文句，內容涵蓋了徐復觀教授要傳送給社會的訊息，和他對社會的觀察、批判及建議，編成本書。我們的初心，是期望能比較全面的、完整的呈顯出徐復觀教授人生中廣接地氣的一面。

《論語》記錄了孔子教學生要如何修身、告訴君主該如何治國，完整的規劃出：個人的行為、人與人之間的關係，以及治國的方向和原則。

徐復觀教授是二十世紀新儒家中唯一奉《論語》為最高經典的學者。如果在二十一世紀閱讀徐復觀教授撰寫於一九四九年至一九八二年間的「時論」，依然能感受到時代和社會的脈動，那就基本上正面回答了「儒家學說是否能引導中國向上提升和向前邁進」這個問題。

我們相信這是徐復觀教授希望能看到的。

感謝：郭齊勇教授撰序；陳樹衡先生題封面；不具名的學者和王晨光博士詳細的審閱文稿，對書的結構內容安排提出看法和建議。

徐武軍 徐元純 敬誌，二〇一八年春

徐復觀教授看世界 時論文摘

總目次

四之一卷

四之二卷

四之三卷

四之四卷

捌、政治

捌之一、民主政治

民主政治之一

『政治是一種權力，權力是人類無可如何中的不愉快的產物。凡是正統的中、西政治學說，無不以限制權力為第一義。』

——一九五二／五／一，〈「計劃教育」質疑〉，《自由中國》六卷九期

民主政治之二

『三民主義乃當前建國的原理。今把建立民主主義的政治形式，視為政治的常數、常道，列為第一個層次的努力目標，則是否把實行三民主義，放在第二個層次，而是為可變的政治內容呢？我的想法是這樣的。』

——一九五一／三／十六，〈中國政治的兩個層次〉，《民主評論》二卷十八期

民主政治之三

『民主政治由多數所決定而須要統一的行為，乃是一種極被限定的行為。每個人大部分的行為，儘管有其若干共同趨向、並承認若干共同標準規約，可是這是由傳統、習慣、教育、文化等而來，並不是由政治的多數決定而來。

『民主政治的起點，便是要使政治愈少干預人類的生活行為便愈好。假定人類的生活行為，一一由政治去決定，則不論通過任何方式來決定，都是極權的壓迫。

『行為的後面固然有其思想根據；但政治上，行為與思想的關係，並沒有邏輯上必然的關係。相同的思想，在政治上可以趨向不同的行為；相同的行為，在政治上可以來自不同的思想。

『民主政治，只問現實的政策，不問政策後面的思想；所以政策的統一，行動的統一，並不就是等於思想的統一。

『以修己之事來作治人的要求，儒家從道德的立場要與以限制；近代民主政治從人權的立場也決不許可。』

——一九五二／五／一，〈儒家在修己與治人上的區別及其意義〉，《民主評論》六卷十二期

民主政治之四

『民主政治的少數服從多數，祇認為這不過是以數量來解決問題的明確辦法；由多數所代表的意見的優勢，不過是相對的，一時的；因此是根據一定的程序可以改變的。

『民主政治的基礎，是安放在可以經過和平的程序，自由底修改政治上的錯誤之上；因此，少數服從多數，祇有在多數保障少數同時存在，才有其意義；祇有在多數與少數可以自由變動的情形之下，民主政治才是以其「運用的形式」來接近政治上比較絕對是、非，和絕對利、害；這決不是由多數者的政治內容所能代表的。

『在儒家，祇問人民的好惡；在民主政治，祇是基於選民自己利害的選擇。

『人民的多數選擇，可能是一種錯誤；而民主政治正是給人民以自由底改正錯誤的保障。

『若是認為多數即是代表真理，則民主政治改正錯誤的機能便歸於消失，這即意味著民主政治整個機能的消失。』

——一九五二／五／一，〈儒家在修己與治人上的區別及其意義〉，《民主評論》六卷十二期

民主政治之五

『西方精神的主流來自希臘，而商業正是希臘文化的社會背景。在商業行為中，賣主「漫天講價」，買主「就地還錢」；從價高、價低的相反意見中，互相商討，得出一個折衷的數字，這便完成一件商業行業。此種行為，是表明與反對者的商談，因而承認「反對者的價值」，是解決問題的關鍵。

『其反映在政治上，便成為以「會議」為生命的民主政治。近代的會議政治，可說是此種精神發展的最高型態。議會中必有反對黨，必有反對意見。沒有反對黨的議會，不是真正的議會；沒有反對意見的會議，不是真正的會議；不承認反對者的價值，即不能構成贊成的價值。

『因為沒有問題，則何必會議？沒有反對意見，則何以成為問題？不經過與反對者的折衷辯論，則問題何以算得解決？所以承認反對的價值，是會議的生命，即是民主政治的生命。

『中國人最不容易真正發現問題，不了解會議是為了與反對意見解決問題，更不了解只有與反對者解決問題才是問題的解決。於是中國人的會議，是無問題的會議。

『中國人之所以只能開這類不是會議的會議，主要是因為缺乏對「反對價值」的自覺，便不知道無反對即無問題，無問題即不必開什麼會議的這一尋常道理。

『會議之所以要承認「反對者的價值」，因為只有在此種精神之下，各方才能在正反辯論的過程中，一層又一層的互相剝落彼此的私見、偏見，最後只剩下個人冷靜的理智，與問題本身的客觀法則。由客觀的法則來決定問題，而不是某些外在的權威、意氣、感情在決定問題，這才是問題的解決，這才能發揮會議的真價。』

——一九五三／六／十六，〈會議的西化運動〉，《民主評論》四卷十二期

民主政治之六

『美國民主、自由的基礎，並不是根據一幅完整的民主政治理論的藍圖所奠定的。而只是由人民至上的觀念，與當權者「克己」的人格表現，所結合而來的。』

——一九五六／八／十一，〈介紹一部假期讀物〉，《新聞天地》四四三期

民主政治之七

『民主政治在各種思想文化的面前，它自己永遠是一張白紙，否則不是民主政治。』

——一九五三／十二／一，〈「民主政治價值之衡定」讀後感〉，《民主評論》四卷二十三期

民主政治之八

『軍人政變的動機，和政變以後的許多作為，我們不能不承認他們總是懷抱著政治的正義，祈嚮著政治的正義。但是他們運用的形式，卻把一切民主的程序都推翻了。他們目前所標榜的正義，只是裸體的正義。與過去李承晚的「孤頭正義」，並沒有什麼不相同，結果便也不會有什麼兩樣。

『為什麼裸體的正義，結果會成為不正義，尤其是在政治上是如此呢？

『人總是人，而不是神，每一個人都具有許多先天後天的缺點。正義與感情融在一起，才能發生行動，而感情便常會反過身來衝破正義；所以一個人在感情衝動下所認為正義的行為，在感情冷靜時，多少會引起後悔。權力對慾望的誘惑時，其危險性比感情衝動的危險性更大。禮的第一個作用便是節制個人的感情，節制個人的慾望。

『民主政治，便是以客觀的方式，來節制統治者的感情和慾望的。

『一個國家，一個社會，有各種不同典型的人，有各種不同性質的事，有各種不同角度的觀點與利害。所以直線式的正義。實際只能成為一部份人的正義；尤其把自己所認為正義的，直接了當的加在旁人身上，常常會成為對旁人的傷害。所以禮主張「謙」，主張「讓」。「謙」是不把自己所認為正義的，當作唯一的正義；「讓」是容忍，接受他人與自己不同的意見。在「謙」和「讓」中，想出一種曲折諧和的方式出來，使不同的人與事，得到共同承認的途徑，這便是「禮」，所以《禮記》上說：「夫禮，所以制中也」。

『民主的政治，即是要寬容異己，在不同中取得折中的調和，使政治成為全民的政治。』

——一九六一／六／二十七，〈看南韓變局〉，《華僑日報》

民主政治之九

『儒、道兩家，想出了如何領導政治的、有系統、而且有永久價值的「君道」，又想出了政權改變時的禪讓形式；但畢竟沒有在客觀制度上建立起凡參與政權的人，即使都不是聖賢，而也必須作和平改變政權之實，則君道便只有落空，禪讓也徒供假價。這裡可以看出中國政道之窮。』

——一九六三／十二／一，〈良心、政治、東方人〉，《民主評論》十四卷二十三期

民主政治之十

『從政治的目的說，可以分成兩大類：一類是為人民而政治，一類是為統治者而政治。

『我國先秦時代的儒、道、墨三家，都主張為人民而政治。但歷史中所出現的，卻是恰與此相反的君主專制；這是因為沒有想出與目的相適合的手段。此一手段的提供，不能不有待於近代的民主政治。』

——一九六三／三／十，〈南韓今後的道路〉，《華僑日報》

民主政治之十一

『在政治方面，我經常關心到在落後地區，如何能建立起穩定的民主政治，以使統治者與被統治者，都能避免循環殘殺，因而奠定現代建設的基礎。「穩定」與「民主」，在我看，是不可分的，所以政治的民主化，不管在過程中有多少曲折，這是落後地區國家自救的唯一的道路。』

——一九六三／三／十，〈南韓今後的道路〉，《華僑日報》

民主政治之十二

『有人拿自由來抵抗責任，也有人拿責任來抵抗自由。

『其實，沒有自由的責任，是奴隸的責任，結果也一定會取消掉責任。

『沒有責任的自由，是暴亂的自由，結果也一定會取消掉自由。

『自由與責任之不可分，這是人類生活的長期經驗事實，不須要甚麼特殊理論來加以論證。』

——一九六三／十／二，〈言論的責任問題〉，《徵信新聞報》

民主政治之十三

『把民主政治與社會主義結合起來，以形成真正的民主地社會主義，或者是人類今後前途的一條大路。』

——一九七〇／十一／十二，〈民主政治在考驗中〉，《華僑日報》

民主政治之十四

『國家構成的基本要素，是人民、領土、主權。但在這三大要素中，是人民居於主導的地位？還是主權居於主導的地位？這是民主政治與專制政治的大分水嶺。

『主權居於主導的地位，即是統治者的權力意志居於主導的地位；統治者可以在「主權」的藉口之下，以人民為工具，以人民作犧牲，以滿足統治者的權力意志。

『近代民主政治，是把國家的主權安放在人民的身上；由人民決定主權，不是倒轉過來讓「主權」來決定人民』

——一九七一／十二／十六，〈人民決定一切〉，《華僑日報》

民主政治之十五

『沒有個人自由，便沒有民主。而個人自由的絕對化，便同時意味著對民主政治的損害。』

——一九七二／三／九，〈封建主義的復活〉，《華僑日報》

民主政治之十六

『民主政治的實行，需要大家有共同的容忍精神，對異己者的容忍、對於失敗時的容忍，對於程序中所耗費的時間的容忍。容忍精神，來自理性對各人權力慾望的自我限定。』

——一九七二／三／十一，〈暴力主義的去路〉，《華僑日報》

民主政治之十七

『人類歷史中最多、最大、最慘的暴力行為，皆出自政治權力的移轉時期。中國文化在解決政治權力轉移期的鉅大暴力問題，可以說是交了白卷。

『民主政治的鉅大意義之一，在於使政治權力，必作一定期間的移轉。而當移轉之際，乃訴之於公開的和平、自由的競爭，決之於秘密自由投票的多數，但少數也得到保障，以保障再競爭的機會。參加競爭的人，決不致因失敗而影響到生命乃至憲法上所規定的權利。』

——一九七二／五／二十一，〈暴力與民主政治〉，《華僑日報》

民主政治之十八

『歷史的鐵則是不會有的；但在各種曲折中，必定有一個大的方向。簡單說出來，即是使平等與自由獲得調和、個體與群體獲得統一，這將是人類在無數苦難，無數曲折中所始終不渝的大方向。』

——一九七二／五／二十二，〈深有感於毛澤東之言〉，《華僑日報》

民主政治之十九

『民主政治，是一套政治運行的形式。在此一形式之內，可以容納各種政治內容，而決不固定於某種唯一的政治內容。何種政治內容，可以居於支配的地位，是在一定的期間之內，由人民來自由加以抉擇的。

『資本主義、社會主義，都是政治的內容。

『民主政治的興起，也必須以新興地市民階級的政治覺悟與需要為基礎。新興地市民階級發展為資本家，形成資本主義的社會，並不等於說明民主政治乃資本主義的產物，與資本主有不可分的關係。

『資本主義所發生的問題，並不等於就是民主政治所發生的問題。』

——一九七二／六／十三，〈民主政治危機的另一型態〉，《華僑日報》

民主政治之二十

『概念在構成的過程中，常只容許同質的東西，對異質的東必加以排斥。

『而概念一經構成以後，它本身便因凝聚而固定化。它的作用，只能限於以它為絕對正確的前提、由此而作演繹性的推演中，不能融入新的因素。

『所以除了「民主政治」這個觀念，可以永遠適用在變動不拘的人類政治生活之中以外，其他以實質規定為目的的概念，無法可以概括一切人民的要求。

『而且隨時日的經過，原來是由人民生活中所抽出的概念，勢必與人民現實的生活，愈離愈遠。』

——一九七二／十一／四，〈概念政治？人民政治？〉，《華僑日報》

民主政治之二十一

『民主政治與極權政治的簡單分別，在民主政治之下，人民是實質的存在；領袖，及領袖口中所說的各種主義思想，只不過是作為人民的工具。在極權政治之下，領袖是實質的存在；領袖口中所說的某種思想、主義，乃是領袖權力意志所使用的符號，人民從表面看是某種思想、主義的工具，實際則是某個領袖的權力意志的工具。所以在民主政治之下，是人民的意志去修正政黨的政治綱領；在極權政治之下，則是領袖的意志通過某種思想、主義的符號去改造人民的生活。

『以大多數人民的意志為主體的民主政治，不斷會向左、向右，發生修正的作用，使其適合於大多數人民的要求。正常地大多數人民的要求，或者可概括為我過去所說的「中道的政治」。』

——一九七三／三／二十三，〈從法國此次大選看民主政治〉，《華僑日報》

民主政治之二十二

『牟先生（註：牟宗三）在「從索忍尼辛批評美國說起」的講辭中，特指出美國所發生的各種問題，是文化問題，不是民主政治體制的問題；不應把文化問題轉到民主政治體制上去，而對民主政體輕加責難。』

——一九七三／三／二十七，〈遠奠熊師十力〉，《華僑日報》

民主政治之二十三

『民主政治，是在自由權利基礎之上，讓政治集團乃至個人，站在人民面前，作公開而合理的競爭，使人民能作合理的判斷與選擇，由此而使政權能代表多數人民的利益。』

——一九七三／五／二，〈何年何月，我們才能出現水門事件？〉，《華僑日報》

民主政治之二十四

『而民主政治中的公平合理競爭，雙方接受公平合理競爭的結果，勝利的多數保障失敗的少數，失敗的少數服從勝利的多數者的決策，這都是偉大的道德行為。只有堅守這一類的偉大道德行為時，才有民主政治可言，也才有政治上的倫理道德可言。

『把科學技術進步的成果，只用向好的方面，而不用向壞的方面，在根本上便須要大家有共許的倫理道德。』

——一九七三／六／一，〈民主、科學與道德〉，《華僑日報》

民主政治之二十五

『照射政治黑暗的真正太陽是民主政治。民主政治不能根絕妖魔鬼怪，但它可以不斷照出妖魔鬼怪，不讓它在人類中生下根。凡是沒有受過民主政治洗禮的地區，任何主義、任何制度，都會變質而成為大毒草。』

——一九七四／三／十二，〈由索忍尼津事件所引起的思考〉，《華僑日報》

民主政治之二十六

『民主政治下的墮落，是有其他許多因素，決不表示此墮落與民主的本身有密切的關係。並且只要不是玩假民主，則以民主之力，可以發現墮落，挽救墮落。

『現在民主政治下的墮落，主要乃由過分的個人主義及資本主義的末梢症狀而來，過分的個人主義及末梢的資本主義並非與民主不可分。』

——一九七四／四，〈教育、群眾運動及其他〉，《明報月刊》九卷四期

民主政治之二十七

『民主政治一定要有一種價值觀念來支持。這樣，民主政治才能產生正常的作用。若價值觀念一旦喪失，有些民主政治變成僵化，在民主、自由之下，許多人只做壞事不做好事；有些民主政治便夭折，或變成偽裝。』

——一九七四／七，〈中國人文精神與世界危機〉，《明報月刊》九卷七期

民主政治之二十八

『民主政治，可以從許多角度去了解它。這裡提出的一個角度是，民主政治，是在情、理、義、利之間的政治。

『情與理，是在人的生命裡的兩種動力；義與利，是在人的行為中的兩種不同的動機與要求。

『人類文化進步到某一程度時，必引起情與理，義與利，兩者間的互相對立，引出以理制情，以義制利的要求。這種要求首先表現在高級宗教之中，接著也表現在一般文化之內。

『在知識上，我們常須將情與理，義與利，辨別得清清楚楚。在個人修養上，常須做以理制情，以義制利的功夫。但在實際生活中，尤其是在大眾生活中，不僅任情馳利，不能維繫共同的生存；假使把知識上的要求，推之於實際生活，把個人修養上的功夫，擴大為對大眾生活的要求；則理可以變為極端的非禮，義可以變為非常的不義。

『在情、理、義、利之間的民主政治，正是保障人類正常生存的政治。

『有位對希臘哲學很有研究的先生在一篇文章中說一般公民，沒有受邏輯訓練，則他們投票的意義，根本值得懷疑。這是以西方作為認識準繩之理，來要求在政治上實現。其實，假定人人都有邏輯訓練，根據邏輯的分析推理，以從事選舉，將發現無一合格之人，無一合格之事。

『民主政治的自由投票，主要是由個人的好惡（情）利害（利）作判斷的起點。但多數人的好惡之情即通於理，多數人的利即通於義。所以多數的自身，即是情與理、義與利之間的結果。在少數服從多數的同時，多數又須保障少數，這也是情與理、義與利之間的辦法。此一精神貫徹下去，民主政治的行動，都是情與理，義與利之間的行動。』

——一九七四／九／十七，〈民主政治的另一角度——情理義利之間〉，《華僑日報》

民主政治之二十九

『和平，是人類生存的理想，也是人類生存的基本條件。拉長了歷史看，只有和平時代才有幸福，才有進步。合理地戰爭、鬪爭，是為了剋去和平的障礙，清洗和平時代中所積的汙穢。戰爭、鬪爭，是為了得到和平所暫時使用的不得已的手段；而和平才是人類追求的大目標。

『一個國家內部的和平，只能在社會主義與民主高度融合之下，才可以獲得。中國在二千五百年前，齊國的晏子已用調不同之味以為羹，調不同之音已成樂的比喻，指出「和」與「同」的分別。這即是認為只有涵融眾異已成為統一體，始可謂之和，始能得到和。合融眾異已成為統一的理想，惟有民主主義之下才會實現。』

——一九七五／十／十五，〈民主與和平〉，《華僑日報》

民主政治之三十

『自由與平等本是人類所追求的兩大目標。

『在極權專制的黑暗時期，人民根本不能表達自己的意志，政治常離開兩大目標以滿足極權專制者的慾望。

『即使人民能通過自由選舉以掌握自己的命運，對兩大目標的追求，也常不斷發生由偏差而來的錯誤，或以自由抹煞了平等，或以平等抹煞了自由，這都會對大多數人民生活的前途，發生許多災禍。

『民主政治，本是一種「試行錯誤」的政治。民主制度下的自由選舉，是讓人民有修正試行錯誤的機會，這是表現民主政治基本價值之一。

『試行錯誤被修正的結果，是使平等與自由的兩大目標，可以得到比較近於調和的狀態；在此狀態下的政治，自然是中道政治，也即是適合於大多數人生活的政治。』

——一九七六／十／十六，〈今年歐洲大選所表現的政治方向〉，《華僑日報》

民主政治之三十一

『凡企圖把最高權勢膠結於一人、一家、一黨，不惜以一切方法，堵塞消滅可以和平轉移政權的合理途徑，便會成為政治中最大罪惡的來源；所以這種企圖的本身即是最大的罪惡，而不是其他的好事，可以抵銷得了的。因為這種企圖的心理狀態認為一切人們，只能在「我」的支配下才可分得權勢的一杯羹，這是奴隸主對奴隸的心理狀態，必被不甘作政治奴隸的人所拒絕。最大的禍亂、悲劇，皆由此而起。

『凡是不能解決最高權力能在和平中轉移的地區，必然是禍亂、悲劇循環不已的地區。民主政治最大功用之一，便在它可以解決此一問題。』

——一九七九／十／三十，〈歷史是可以信賴的——聞朴正熙被槍殺〉，《華僑日報》

民主政治之三十二

『民主政治的成敗與真假，必然決定於保有最高權勢者，肯不肯寧可自己放棄權勢，以樹立政權和平轉移的軌轍。』

——一九七九／十／三十，〈歷史是可以信賴的——聞朴正熙被槍殺〉，《華僑日報》

捌之二、學術與政治

學術與政治之一

『站在政治、社會的立場，我們只能需要由實事求是而來的體系，不能再需要由思辯而來的體系。

『西方哲學的主流，是順著邏輯推演出來的；在推演起步的地方，也有從若干「實事」中抽出來的經驗作基礎。但愈推演，離經驗愈遠，以致當一個體系完成時，與經驗完全脫節，而只能說是思辨地體系。

『人的歷史實踐，不是順著邏輯推理的直線前進的，其中有許多限制、有許多曲折；也不是順著邏輯推理的必然性前進的，其中有許多偶然、有許多調和妥協。

『不僅馬列主義的思辯體系，在實踐中會造成中國乃至人類莫大的災害，假若順著康有為的大同思想，順著熊十力先生晚年的「乾坤演」哲學，以及方東美先生飄渺地形而上學，付之於政治實踐，也必然形成政治的獨裁，造成人類的災害。因為他們的哲學，都是用邏輯推理、再加上類推的想像，以追求自己哲學體系的完整。

『凡是喜愛形上學的人，都帶有濃厚的獨裁性格。把他們限制在純學術範疇之內，或可形成某種異彩，但決不能轉用到政治實踐上去。』

——一九八一／三／十一，〈實踐體系與思辯體系〉，《華僑日報》

學術與政治之二

『兄文有兩點，弟不甚贊成，此乃關係於兄之根本治學態度者。一、兄心目中之自由民主，實與戴杜衡諸先生之以虛無主義為民主者實同。戴從此點從而歌頌之，兄從此點而無形中加以貶損之。實則人文之設施，只有在自由民主下才有其可能。而歐洲十八世紀之民主啓蒙運動（實係一社會性之理想運動），其底子實亦出於社會人文要求。歐洲近代文化之發展，實與此一點為不可分。而老子實係一虛無主義，僅有其近似民主之一面而已。康德在《什麼是啓蒙運動》（此文成於《第一批判》書之後）一文中，一面指出啓蒙運動即知性運動，一面強調自由解放之重要。故弟決不願將民主精神與儒家對立，而實亦非對立也。二、兄認為只要樹立一理想，愛好此理想，現實即可聽命，因而不愛談現實，此係受西方形而上學之影響，並非儒家精神。儒家是站在現在以通過去未來，從現實中通理想的，所以他本身是一道德實踐的性格。今日只有能容許大家談現實，國家、文化，才有前途，故吾人必爭取自由民主。今日最迫切者為大家生活相關之眾人文化，而書齋文化亦須落實下來。儒家本身實係一生活體驗之文化，因而實係一萬人與共之文化。有許多純理論的東西，有可以落得下來者，亦有落不下來者，即所謂觀念的遊戲。』

——一九五二／四／二十二，《徐復觀致唐君毅佚書六十六封》，No. 4

學術與政治之三

『共產主義的獨裁，和法西斯的獨裁，在其形成獨裁的文化基底上頗具異趣。

『共產主義形成於自然科學鼎盛的十九世紀中葉，骨子裡是自然主義與主知主義之統一，其獨裁係由「知性」的偏執而來的。因此，共產黨為鞏固獨裁所流的血，常表現為因思想問題而流血。

『法西斯的文化背景，是來自二十世紀初的反主知主義之上，它是以「熱情」、「意志」為其生命的。在法西斯主義的運動中，其領導人物熱情和意志的感召，重於思想的說服，即亦重於知性的說服。』

——一九五三／三／二十七，〈史達林死後的世界〉，《華僑日報》

學術與政治之四

『民主政治，固須以理性主義、理想主義為基礎；然理性主義、理想主義，亦不僅賴民主政治而其可得一發展之保證，且亦可因民主政治而得一發展上之互相制限。民主政治作用之一，在於使政治上之設施，不使任何思想主義直接成為一政治勢力，凡直接成為政治勢力之某一思想主義，必毒害其他思想主義，而成為理性殺人之事。』

——一九五三／八／十一，《徐復觀致唐君毅佚書六十六封》，No. 15

學術與政治之五

『一個真正以儒家精神為命脈的人，無所謂左，無所謂右，而只是一個「中」。落在現實上，僅可由道德的觀點不贊成浮薄的自由主義，但決不會贊成反自由、反民主的法西斯主義。因為無自由、不民主，便根本沒有道德。僅可由仁心的表露而熱愛自己的國家，但決不會落入狹隘的國家主義的陷阱中以致成為侵略主義。因為不愛自己的國家是不仁，因愛自己的國家而危害旁人的國家，一樣的是不仁。除了道德，除了仁，還有所謂的中國文化、東方文化嗎？』

——一九五三／八／十六，〈日本真正的漢學家安岡正篤先生〉，《民主評論》四卷十六期

學術與政治之六

『任何學術思想，若要變成政治的設施，用中國舊的術語說，必須通過人民的「好惡」；用新的術語說，必須通過民意的選擇。

『任何好的學術思想，根據任何好的學術思想所產生的政策，若是為人民所不好、為人民所不及，則只好停止在學術思想的範圍，萬不可以絕對是真、是善等為理由，要逕直強制在政治上實現。

『所以一切學術思想，一落在政治的領域中，便都在「民意」之前是第二義的，「民意」才是第一義。民意才直接決定政治，而學術思想只有通過民意的這一「轉折」，才能成為政治的。

『學術對社會國家直接負責，是通過教而不是通過政，教是在自由中進行，而政治則總帶有強制性。』

——一九五三／十／十六，〈學術與政治之間〉，《民主評論》四卷二十期

學術與政治之七

『政治與學術的最大區別，是質與量的區別。質要通過量而始能有政治上的作用。因此，政治是以量決定質的。

『移學術上重質的觀點到政治上來，那就是尼采。尼采的「超人」政治，無疑的是獨裁政治。

『應該以量的民主政治，更深一層的去理解，它是立足於人文精神的大原則之上的。人文精神，首先承認「生」即是價值，「生」是第一價值。其次，再要求「生」得如何有意義，這可以說是第二價值。第二價值必須安頓在第一價值之上，而不可繞過第一價值，以談第二價值。

『以「生」為第一價值，是對「生」的當下承認，亦即是對量的當下承讓。』

——一九五三／十／十六，〈學術與政治之間〉，《華僑日報》

學術與政治之八

『民主政治之出現，只是歷史上由各種因緣所湊合成的事實，並非出自某些人理論的推演或理想的要求。

『民主政治的出現在先，民主政治價值之確立乃至解釋，則是事後的追認。假定追認者是出於重智精神，也不能因此而說重智精神是民主政治之因。

『若僅從理論上去推，則重智文化固可以產生民主政治，重德文化同樣也可以產生民主政治。民主政治之是否真能出現，首先是決定於其歷史的許多條件。』

——一九五三／十二／一，〈「民主政治價值之衡定」讀後感〉，《民主評論》四卷二十三期

學術與政治之九

『根據「自覺活動」而要求民主政治，固然是好的。但即使是愚夫愚婦，根據他現實生活經驗而要求民主，說不上出自文化精神的自覺活動，但它與哲學家之要求民主，其價值並無絲毫貶損。否則只靠有自覺活動的少數哲學家，很難實現民主政治。』

——一九五三／十二／一「民主政治價值之恆定」讀後感〉，《民主評論》四卷二十三期

學術與政治之十

『西方自柏拉圖到黑格爾的「體系哲學」，每一個人都把他們所面對的問題及其解決的問題知識，組成一個無所不包的龐大體系。

『第一、體系哲學，常常受到知識進步的影響而紛紛崩潰。

『第二、體系哲學，一落到現實之上，若不為現實所否定，便在現實中發生流毒。例如黑格爾哲學與納粹思想的關係；把德意志當作絕對精神發展的終點，這只能代表在拿破倫佔領下的德國人的反抗精神，遠離現實，因而在現實上會發生流弊，也是事有固然的。

『體系哲學的基礎，依然是建立在知識上。依然是建立於思維推論之上。知識、思惟的活動過程中，勢必將異質的東西加以排除。所以科學知識必然是專，必然是偏；體系哲學的概括，結果也同樣是偏、是蔽。

『人是「異質的統一」，由人所構成的國家社會，也是「異質的統一。」在知識的立場，只能順著異質中的某一質去發展。所以僅通過知識，不可能得到異質的統一，因而也不可能把握到一個整全的人、整全的社會、國家。』

——一九六五／十二／十一，〈思想於人格〉，《徵稿新聞報》

學術與政治之十一

『在正常情形之下，學術與政治必保持著一種距離，因而使學術與政治的關係，成為評判與現實的關係。最低限度，也是理論與實踐的互相修正的關係。但極權政治的特色，正在使學術成為政治的說教，乃至顛倒過來政治成為學術的評判者。』

——一九六六／六／一，〈極權政治與史學〉，《民主評論》十七卷六期

學術與政治之十二

『西方思辨哲學對問題的思考方式，常是拿住經驗事實的一面或一點，而儘量向前推論下去，以得出抽象的概念。抽象概念是遠離經驗事實的，於是他們的哲學，便常是觀念的遊戲。

『由私有財產發生了流弊，而認定私有制度的本身即是萬惡之源；並由此而認定遠古有一個原始共產社會的黃金時代；更由此而要建立一個作為人類進步最後達到點的共產社會，以徹底否定私有財產制度，正是在上述思辨哲學影響下，所過分推論出來的結果。

『哲學家是個人的活動，而共產黨則是被組織起來的大眾活動。這樣一來，哲學家的觀念遊戲，一到了共產黨手上，便成為無窮無盡的清算鬥爭。』

——一九六六／十一／十九，〈對共產思想的一諷刺〉，《華僑日報》

學術與政治之十三

『我們之所謂人性，指的是「人生而即有」的一種根源性的要求。這種根源性的要求，當然會受由歷史所形成的現實社會條件的限制，而以各種不同的程度與形態，努力其實現。在階級社會中，可以由個人所屬的階級立場加強人性中某一方面的要求；但不能由階級立場加以全般的代替。可以由某種特殊力量加以抑壓，但不能由任何力量加以滅絕。我們可以說，人性是屬於人類自己的，人不否定本身的存在，便應承認人性在大的邁向上是理性的。人類歷史，乃是人性自身在各種挫折中所作的掙扎的歷史。』

『對人性的解釋可以成為一種「理論」，而人性卻是「存在」而不是理論。許多職業革命家，把解釋人性的理論，順著人性一時一面的要求，盡可能的用邏輯系統推演下去，以形成包天蓋地的革命理論，並賦予強烈地排斥性，於是由人性引生的理論，常常於不知不覺之中推入到反人性的層面。』

——一九七二／三／九，〈蘇聯與人性的搏鬬〉，《華僑日報》

學術與政治之十四

『中國式的封建主義，係由許多條件所形成的，其中最突出的是「血緣地位身分制度」；即是，一個人的地位、一個人所擔當的角色與發生的作用，是由血緣的身分所決定的。

『儒家基於社會的道德的要求，在其意識形態中依然維持封建社會中的「親親」觀念，把「親親」的觀念夾雜到政治中去，使它對於「尊賢」的觀念，在統治層中經常取得優勢，這便無形地為封建的身分制度，保持了一條活路。這是先秦儒家對政治與社會的分際，區別得不夠清楚，因而留下的兩千多年之久的大弊害。』

——一九七二／六／二十五，〈封建主義陰魂不散〉，《人物與思想》六十三期

學術與政治之十五

『任何實際政治活動總要藉某些概念。沒有概念的政治，是黑暗的政治。

『但問題是：概念是滿足人民要求的手段，而人民才是目的呢？抑或人民是滿足概念的手段，而概念才是目的呢？

『由此一問題更引生出另一不可分的問題是：應由概念決定人民呢？還是應由人民決定概念呢？

『再進一層，世人乃思想的工具呢？抑思想是人的工具？

『或者，人是最真實的存在？抑思想是最真實的存在？

『凡事喜歡談主義的人，應當在這種地方先弄清楚。』

——一九七二／十一／四，〈概念政治？人民政治？〉，《華僑日報》

學術與政治之十六

『現代的人，固然可以站在民主自由制度立場，批評儒家思想沒有制度化，沒有客觀化；但若站在專制政治立場，儒家一言一行都是針對著專制政治的，中國二千多年以來，不管好與壞，代替人民講話的只有儒家。現在我們要努力的是怎樣把儒家精神和民主結合起來。真正了解儒家思想的人，一定擁護民主制度的實現。儒家的精神亦只有在民主制度下，才能真正實現和保證。

『「孟子說：「徒善不足以為政，徒法不足以自行」，所以應該善與法合在一起，《論語》上有兩句話：「審權量，慎法度。」「法」有兩個意思，一是法度之法，一是刑罰之法。儒家一直到漢朝，強調法度的建立，《淮南子》就表現得十分清楚，在政治上要成法度，在個人行為上要成理，理就是客觀化。」

——一九七六／五，〈從天安門事件看中國問題〉，《明報月刊》十一卷五期

學術與政治之十七

『思想出於人類的理性，政治則來自人類的權力意志。

『思想的影響，是來自人與人相互間的自由而平等的理性的交流；政治的統治來自統治者對被統治者通過權力的強制壓服。

『思想與政治的結合。從思想看，一方面使思想憑政治權力而得以實現；另一方面，使思想的本來面目必由政治權力加以歪曲、汙染。

『從政治看，政治常須要由某種思想而得到被統治者認定其為合理而甘心加以承受；同時統治者常將自己的權力意志蒙上思想的面貌，使政治與思想，混為一體而不可分。歷史上最大的混亂，常由此產生的。』

——一九七六／十一／七、二十三，〈面對時代淺談孔子思想〉，《華僑日報》

學術與政治之十八

「在先進的民主國家中，統治者只談具體政策，少談抽象思想，更不敢談「思想領導」。

「人民對統治者的批評，也常僅限於他的政策，很少涉及他的思想。所以「思想層面」乃統治者與被統治者之間的「和平共存」之地。

「在比較落後的國家中，民主、法制、人權的政治大軌範，沒有建立起來，統治者在思想上所擔當的領導責任，常安放在政策領導之上。

「再偉大的思想家，在「實事」中應用起來，有對有不對，而須按照「實事」的要求加以取捨修正，乃必然之事。

「若在「實事」中明明白白的證明某種思想是錯了，錯了就按照「實事」的要求去改，這更是具有理性的人對待具有理性的人的正常現象。為什麼把在「實事」中證明是錯的，一定要迫使他人承認是對，造成廣大的對錯不分？

『用這種方式來統治人民，完全是「削足適履」的統治。』

——一九七七／十一／十六，〈天氣預報與思想領導〉，《華僑日報》

學術與政治之十九

『每一個人或每一個團體，在他的意志發展到某種程度時，便常常需要某種「觀念」，以作為支持、充實，乃至實現自己意志的工具。正確的觀念，是由吸收許多經驗，而將其加以解析、條理，並加以抽象、捨象而來。

『觀念的是否正確，決定於它所能涵攝的經驗的多少。觀念涵攝經驗的多少，決定於知識面對客觀世界所能認識的程度。客觀世界的無限複雜性和無限發展性，勢必給任何人的知識以限制。在某種知識，已超過了它所達到的限制，而與客觀世界不能相應時，則以此種知識為基礎所構成的觀念，勢必與經驗脫節，成為現實生活中的障蔽。

『以現成而又帶有權威性的觀念來維護自己、打擊他人、支配他人，是不費腦筋、不費氣力的最簡單最容易的方法。所以許多人寧願藏身在觀念的雲霧裡，不肯落在地下來正視經驗事實。各種主義由有用而變為有毒，以致遺禍於人類，皆由此而來。』

——一九七八／七／二十五，〈只有「國交主義」，沒有「國際主義」〉，《華僑日報》

學術與政治之二十

『國際主義的觀念，是從「世界革命」的觀念推論出來的。而世界革命的觀念，又是從「工人無祖國」的觀念推論出來的。

『既認定工人無祖國，則工人階級的革命，本質上便不是以國家、民族為對象的革命，而是以全世界為對象的世界性革命；所以在共黨心目中，他所屬的國家民族，只是歷史性的、偶然性的寄託，所以毛澤東常罵「反動的民族主義」。

『中國文化的傳統是行為重於觀念。西方文化的傳統，是觀念重於行為。觀念是由具體事務的抽象、捨象所構成的。

『馬克思們出生在觀念論最盛行的德意志。把工人階級，從具體地歷史社會等條件中抽象出來當作是抽象地存在，在抽象的推理中，便得出了「工人無祖國」的結論。事實上，每一工人，都生存於各自祖國的具體條件之中，因而形成由祖國各具體條件而來的感情、習俗、及現實利益關係。

『「由祖國中來，向祖國中去」，這是人性的自然。所以到現在為止，世界上還找不出「無祖國」的心理正常的工人。』

——一九七八／七／二十五，〈只有「國交主義」，沒有「國際主義」〉，《華僑日報》

學術與政治之二十一

『僅站在思想的層面來看所謂左右之爭，可以根據莊子的觀點看作無所謂的「觀念遊戲」。

『但若把思想加在並不要講什麼思想，而只要求有比較合理生存權利的廣大人民身上時，即人民的遭遇，便不同於觀念上的遊戲。此時決定左或右的、是與非的，就不應屬於講思想的人，而是屬於所得遭遇的人民大眾。

『假定說，加在人民身上的思想尚在試驗之中，還沒得出結果，講思想的人，或者還可爭持一番。但把人民當作思想的試驗品，已經是一種殘暴。試驗已經得出結果，則任何講思想的人，若是肯把人民當作人來看待，就必須承認這種結果對思想的決定性。思想已經加在廣大人民身上，卻對廣大人民由這種思想而來的淚河、血海的結果，不屑一顧，依然堅持自己所講的是最前進的、是最革命的，因而覺得自己是高出於一切人之上，是最高真理的體現者。這和奴隸主對於奴隸，和屠宰場老闆對於牲畜，本質上並沒有兩樣。這種講思想的人，實際上是動物中最自私、最卑鄙、最殘酷的動物。今日世界中的極左派，便是這樣的動物。』

——一九七八／九／二十三，〈「極左派」的本質〉，《華僑日報》

學術與政治之二十二

『毛思想不是那一句話錯，那一句話對的問題，而是由他的「思想體系」所形成的政治路線問題。』

——一九七九／十／十，〈讀葉劍英講話的一些雜感之一〉，《華僑日報》

捌之三、政治人物

政治人物之一

『中國過去稱讚做官的人常說：「諤諤有古大臣之風。」意思是說配當大臣的，都有一定的抱負，而且有貫徹抱負的風節。這就是所謂「合則留，不合則去」的「義合」（君臣以義合）。現實民主政治，更是拿著政策上台，照著政策做事，為著政策下野。年來風氣，做官的人沒有任何真正主張，所以也從不堅持任何主張。

『他既沒有主張，所以國家不論出了什麼亂子，都覺得自己官雖大而並無責任。在這樣不古、不今的官僚人物之下，政府不會有靈魂，行政不會有效率。』

——一九四七／八／二十八，〈好的開始和大的期待〉，《中央日報》

政治人物之二

『大多數的人，多半是在他做官的時候不改革，官做掉了，卻大談其改革。在自己範圍以內的不改革，在自己範圍以外的卻大談其改革。在某一私利目的未達到以前，大談其改革，在某一私利達到以後，卻又閉口不談。改革是改革他人，革掉他人的混帳忘八蛋，而換上自己的，加上自己的忘八蛋混帳。』

——一九四九／八，〈與李德鄰先生論改革〉，《民主評論》第一卷第四期

政治人物之三

『人君（現在的所謂政治領袖），首先承認天下是可信的，問題是在自己能不能為天下所信。人君能為天下所信，天下就團結了。』

——一九五一／一／二十三，〈線裝書裡看團結——答客問〉，《新聞天地》

政治人物之四

『政治上人的好壞，不能從人與人的關係上去決定，而是要在人與事的關係上去決定。「忠貞」兩個字合用，是對於應當死的時候能夠去死的人所用的。真能夠死的人，平時不輕言死。沒有受著死的試煉，而口頭上說「忠貞」，這是靠不住的，不值一文的。

『所以政治上，若總是在人與人的關係上去打主意，則只有愈弄愈糾紛、愈弄愈糊塗、愈弄愈出派系。只有把人與事結合起來，而看其「效率」怎樣；以「效率」觀念，代替不詳而又無從捉摸、無從兌現、毫無內容的「忠貞」觀念，使人人都要在客觀的「事」上去比長短；而這種長短，是可明明白白的、擺在大家面前，非空口講白話可比。』

——一九五四／四／二十，〈自由中國政治新動向〉，《華僑日報》

政治人物之五

『統治權力，是權力最集中的形式。在東方現階段，此種權力的取得，常須經這一連串的鬪爭；在鬪爭中得勝的人總有他過人的才智。

『統治者對自己的才智，常會不斷地自我擴大、自我陶醉，感到只要有聽話的人，把自己的才智傳達出去，便可以解決一切問題。在這種心理狀態之下，覺得除了聽話之外，更無所謂人才；並且由聽話所形成的阿諛集團，常把一切有品格、有能力的人，都迫成反對派，以換取私人政治利益的安全感。』

——一九六〇／十一／二十六，〈越南政變的悲喜劇〉，《華僑日報》

政治人物之六

『一般所謂才智之士，總是憑藉自己的權勢，以與他人絜長較短，而常覺得自己的才智，是高出於任何人的才智之上，於是只要求人聽他的話，而他絕不聽任何人的話。這便形成拒言逆諫、文過飾非的性格。拒言逆諫、文過飾非，本是一件事的兩面。

『一個人的智慧的高下及其措施的得失，與他所信任的圈子的大小，有絕對不可分的關係。信任的圈子愈小，則感到敵人愈多；感到敵人愈多，則猜嫌愈甚、手段愈辣。反轉來，猜嫌愈甚、手段愈辣，逼使他的信任圈子愈小。』

——一九六〇／十一／二十六，〈越南政變的悲喜劇〉，《華僑日報》

政治人物之七

『從我國歷史看，凡是開創之主，及身而亡國的，究竟佔極少數。何以進入到現代，凡是家天下的人，無不及身而亡。

『中國歷史上承認家天下的專制是合理的，所以家天下的人，可以得到多數人的承認；而他自己也比較能心安理得；因此，他信任的圈子可以擴大。現代家天下的人，內心也知道這不能得到他人真正的承認，於是經常存有防閑、猜忌之心，信任的圈子，不能不越來越狹小，最後只好集中於他自己家族之上。

『家族對於國人而言，那是太脆弱了。』

——一九六三／十二／一，〈良心、政治、東方人〉，《民主評論》十四卷二十三期

政治人物之八

『現代的獨裁者，決不能有副領袖的存在。而我國古代的太子，不僅不能直接掌握兵權，並且也不能以太子的地位去建立功業；否則會釀出父子間的慘禍。』

——一九六九／五／十，〈對中共九全大會的一考察〉，《華僑日報》

政治人物之九

『一般人心目中的所謂英雄，總以為這是能為人之所不能為，以追求比「現實」更高一層的理想，達到比「現實」更進一步的目的。

『實際，理想即在現實之中，真能把握到現實，同時即已經把握到理想。敢於正視現實、敢於承認現實、敢於在現實中打開一條路的人，這便是政治家，同時也即是英雄。英雄與政治家的分別，在這種地方，只能在氣質和氣概上去認取。

『從擔當一個國家、民族的全般責任上來講，有許多是政治家而不是英雄；但沒有英雄不是政治家的。』

——一九七〇／十二／十，〈英雄的現實主義〉，《華僑日報》

政治人物之十

『我也承認：每一個國家，總需要有一種中心人物，尤其是在危疑震撼的時候。但這種中心人物的作用，固然應表現為對於重大國策的堅持，尤其應表現為樹立國家制度根基的熱情、及標揭國家政治良好風範的毅力，使國人因此可以容易走上政治客觀底運行軌範、並培養遵守客觀規範的品德。假定沒有後面兩點，甚至犧牲後面兩點，而僅僅是表現於某一政策的堅持，則其政策縱使非常正確，也將立刻轉化為私人權力的工具，消解了此一政策的真實性、社會性與道義性，而使其成為一塊塗金的朽木招牌。這麼一來表面上是堅持某一政策，而實際上是毀滅某一政策。

『政治中心人物之形成，是他已經得到了許多因素的憑藉；對一般人而言，他是在因緣時會中，得天獨厚。這種人對於一個國家的貢獻，有時固然需要在權力上表現其為中心，有時則須要他從政治權力底中心，轉移而成為政治道德中心。這種政治道德中心的作用，常常較之現實權力的中心，對於國家更為重要。即對這種中心人物的自身而論，他此時是由支配力底中心，轉移而為影響力底中心。具有自然底影響力底人物，才真正是歷史人物。』

——一九七二／九／二十，〈論李承晚〉，《華僑日報》

政治人物之十一

『中國文化的傳統，論人，則論其大節；論政，則持其大體。論大節，持大體，一方面可以維繫人道政道前進的大方向，同時也可以得到社會政治的安定和平。

『專注小節，勢必忘記了大節；堅持小體，勢必疏忽了大體。以此論人論政，本末倒置、輕重失權，結果乃大亂之道。

『一個知識份子，以聖賢自期，但若以此要求於他人，以此作為論斷他人的準則，則將發現每一個人都失掉了生存的意義，每一個人都算不得是人。這與中國「躬自厚而薄責於人」的聖賢所用的功夫，完全是背道而馳，和中國聖賢與物為春的胸懷，完全是兩種境界。』

——一九七三／八／二十一，〈大節與大體〉，《華僑日報》

政治人物之十二

『通觀中外歷史，在政治上能及身創業而攀躋到頂點的人，在他起步的時候，多半有若干道德意識、或表現，以作為他的立足點，儘管有時是出於「假仁假義」；在未揭穿以前，一般人並不知道是真是假。但除歷史上一二特出人物以外，一般人當攀躋到頂點以後，卻為了自己的身前身後，不惜公開或暗下背叛道德，以種下許多禍根、造成許多災害，使歷史進入到黑暗裡面。但歷史問題，還是由歷史自身來作審判；而在歷史的審判中，依然要回到道德問題之上。否則便是人類的毀滅。民主真實價值之一，便在此一制度，當統治者拋棄道德時，可以當下追回道德。

『道德沒有什麼形而上學，只是在誠實的生活上立基。中國聖人之教是「自天子以至於庶人，一是皆以修身為本」；而修身的內容，便是正心誠意。』

——一九七四／五／二十，〈美國政治的夢魘〉，《華僑日報》

政治人物之十三

『運行政治的，是人。他與普通人不同之點，是直接對他人負有責任；地位愈高、責任愈大。政治的實體，是由職權而來的行為。行為的好壞，是來自品格與才智的交互作用；而品格更決定才智運用的方向。

『孔子更提出政治與公正的人格不可分。這便是「政者正也」的意義。大學言修身、齊家、治國、平天下之道；但特別指出「自天子以至於庶人，壹是皆以修身為本。」並接著說，「其本亂，而末治者，未之有也」這是「政者正也」的思想進一步發展。』

——一九七四／十二／三，〈壹是解以修身為本！〉，《華僑日報》

政治人物之十四

『所謂權力迷幻藥，是指因權力作用，而使人進入到迷幻的境界而言。

『一個人以各種機緣取得最高權力後，一方面享受著萬姓向他低頭的滋味，而覺得此一滋味，實含有萬般無窮的滋味在裡面，自然絕不甘心放棄。另一方面是時間一久，覺得許多人在理論上，在良心上認為不應做的事，他下一道命令就做了，理論、良心都奈何他不得。人世間的所謂學問、道德，他可隨意加以玩弄、顛倒，一文不值。

『於是他漸漸恍惚起來，覺得自己有超過一切人的能力，這便由享受而進入到迷幻之中，認定他的國家、民族，只有由他一個人而始可以得救。他對權力的愛好，幻成為他對自己國家、民族的偉大責任感；他對權力的死不放手，幻成為是迫於他的悲天憫人之念；更換權力，即是放棄對自己民族國家的偉大責任，絕非悲天憫人之念所能允許；只好鞠躬盡瘁，死而後已，乃至死而不已。』

——一九七七／一／四，〈年頭絮語〉，《華僑日報》

政治人物之十五

『毀滅自己文化遺產的，不能不走上洋奴之路。』

——一九七七／二／十七，〈四人幫的主要毒害是在文化學術〉，《華僑日報》

政治人物之十六

『笛卡兒說「我思故我在」，意思是說人係以其能思想而始表現其存在；不思不想的人等於不存在。思想的本身即是批評，無批評即是無思想，即是不存在。

『每一個獨裁者，都要求由人民的不存在以表現他個人蓋天蓋地的存在。但每一個人民都生著一個大腦；迫使他們接觸不到真正的歷史文化，他們還會接觸到眼面前的事物及他們自身經驗的記憶，他們的大腦還會發生作用，他們的生命還會繼續存在。

『所以每一個獨裁者都有如飄在天空中的氣球一樣，一朝爆炸，便乾癟地掉下來，連玩耍它的兒童，也隨意加以踐踏。吹得越厲害，爆炸得越快；這是當獨裁者的吹鼓手們所必然得到的辯證法的結果。』

——一九七七／八／二十二，〈瞎遊雜記之十〉，《華僑日報》

政治人物之十七

『個人崇拜，不僅是以被崇拜者個人的地位，壓倒國家的地位、壓倒一切人民的地位，而且必然是以被崇拜者個人的頭腦，封鎖一切人民的頭腦。被崇拜者的頭腦，做無限地放射，一切人民的頭腦，由封鎖而不斷地縮小。其結果，被崇拜者會變為狂人，崇拜者會變成白癡。只有站在後面的鬼蜮之徒，得到特別利益。

『個人崇拜，是野蠻社會的遺產，與殺人殉葬，有不可分的關係。

『歷史證明，自己弄個人崇拜的人，必然是大壞蛋，幫助有權勢的搞個人崇拜的人，必然是廉恥喪盡之徒。有個人崇拜的地方，必然是野蠻黑暗的地方；凡是野蠻黑暗的地方，必然有人搞個人崇拜。』

——一九七九／九／五，〈鄧麗君與華國鋒〉，《華僑日報》

政治人物之十八

『打天下得到成功能表示個人的才略、能滿足自己的野心，這對國族人民而言，不是判斷功罪之所在。要論功罪，必須看得天下後的所作所為，對國族人民，到底是好是壞。這是古、今、中、外評斷歷史政治首腦的不約而同地共同準則。』

——一九七九／九／十二，〈劉邦與毛澤東〉，《華僑日報》

政治人物之十九

『首先我應指出，從歷史看，假定不是因為外寇，而僅因內亂失掉政權，深受亡國、亡家之慘的統治者，他的遭遇，必然是他的惡德、惡政或無能的報應。受到這種報應後，還要自己呼冤，甚至還要想盡方法，維持自己的偉大，只能證明這種統治者的下流無恥。

『我應繼續指出，從歷史看，打倒一個暴君的人，他自己並不一定便不是暴君。推翻一種暴政，也不能保證新政權就一定不是暴政。在任何形態專制體之下，「以仁易暴」的是偶然，「以暴易暴」的反常成為歷史中的惡例。因取代了他人的政權，便自以為是偉大無比的人，其無知無恥，與前一種人並沒有甚麼兩樣。』

——一九八〇／四／十五，〈伊朗巴列維與柯米尼的比較觀〉，《華僑日報》

捌之四、泛論政治

泛論政治之一

『中國成語說：「從大處著眼，從小處下手。」假定「大處」包含有一百個問題，當然不能同時下手。可是我們若在這一百個問題中，只擇其中頂小的去做，則對於解決全盤問題的效率，不能不發生疑問。所以這句話應該修正為「從大處著眼，從重點下手。」從重點下手，才是政治家的做法。』

——一九四七／八／二十八，〈好的開始和大的期待〉，《中央日報》

泛論政治之二

『他（有些人）所說的改革，只是向外看、向外推，只是在自己以外去找改革的對象；於是所應當改革的，都認為是旁人的問題，而不是自己的問題。自己總是站在改革圈子以外，想去改革旁人。

『一言以蔽之，現在主張改革的人，多半不是從自反中轉出來的。所以他對現在的一切，不能從自己的本身上感到責任，更不感到為擔當這種責任而本身需要有所建立。今日普遍現象，是做官的時候，一蹋糊塗；一不做官，卻經綸滿腹；假定明天去做官，則依然是一蹋糊塗。在自己崗位上的事，是人慾橫流；在自己崗位以外的事，卻都開明進步。口裡說的和責備的人是一套，自己躬行實踐的又是一套。於是改革在這般人的手中，成了掩飾和奪權的工具。

『我們不怕說壞話的人在做壞事，而最怕的是說好話的人去做壞事。』

——一九四八／五／六，〈論自反〉，《中央日報》

泛論政治之三

『口號後面還藏有真實的內容。真實的內容可以解決問題，口號並不能解決問題。由口號達到內容，須要一段真的精神，和真的辦法。』

——一九五〇／一，〈李德鄰先生是第三勢力嗎？〉，《民主評論》一卷十六期

泛論政治之四

『派系鬧得越兇，政治便越無是非，國家便越無生路。』

——一九五〇／二／十六，〈不能與不為〉，《民主評論》一卷十七期

泛論政治之五

『所謂黨化，是一個政黨，以他活動的力量，把他所活動的對象，化成為他自己或以自己為標準，使對象與自己完全同一起來。

『普通的所謂實現政治主張，乃是以自己的主張，去處理政治上的問題。在基本態度上，不僅是承認對象的客觀獨立性；並且覺得由自己的主張去處理，是使對象的客觀獨立性發展得更為完全。黨化則是要以黨去取代對象的客觀獨立性而代之，即是不承認對象的客觀獨立性。在前者，政治的對象是主，而政黨的主張是客，所以他可以容納許多不同的主張，以成為民主。在後者，則黨的主張是主，而黨的活動對象是客，所以他不能容納相異的主張，以成其為獨裁。』

——一九五〇／八／十六，〈黨與黨化〉，《民主評論》二卷四期

泛論政治之六

『政治上最不可救的毛病，莫大於痼蔽自私。因為痼蔽，所以常以一己幾希之見，悍然不顧天下之公是公非。因為自私，所以常以一己好惡之情，悍然抹煞天下之大經大法。

『要醫治痼蔽自私，惟能真正知恥，則自己精神上常應面對一客觀之責任，以客觀責任之要求為尺度，因而此一尺度也是客觀的，自可與天下共此客觀之尺度，以接納天下之公是公非。

『惟能真正覺得是贖罪，則自己精神常沉潛於無我狀態之中，而只見我乃天下之一工具，天下非我之一工具；我乃為天下而存在，天下非為我而存在；于以克去個人得失好惡之私，顯露並順應天下之大經大法。知恥與贖罪，乃聖賢和偉大宗教家的基本功夫和表現。』

——一九五二／十一／一，〈一個錯覺〉，《民主評論》三卷二十二期

泛論政治之七

『好的政治，可以形成一好的風氣，也需要一好的風氣。風氣好壞之型態不一，而質樸與浮誇、謙虛與狂妄、剛正與諂媚三者，乃各種形態中最是立於兩極的鮮明對照。質樸、謙虛、剛正，總是連在一起，形成一好的政治風氣，使好人好事可以出頭：浮誇、狂妄、諂媚，總是連在一起，形成一壞的政治風氣，使壞人壞事得到營養。』

——一九五二／十一／一，〈一個錯覺〉，《民主評論》三卷二十二期

泛論政治之八

『落後的極權國家，其高級統治階層，總要把自己裝扮成神龕裡的神、忙於證明自己只有功德而絕無過錯。

『越是裝扮為無「過」的個人、團體，越是罪惡彌天，永遠得不到超升的個人和團體。

『東方國家政治的落後性，不是表現在它有「過」，而是表現在它有「過」而不承認「過」。』

——一九五四／三／四，〈從貪污事件看日本政治〉，《華僑日報》

泛論政治之九

『政黨除了他自己是屬於國家的以外，不可把自己經手的國家機構變為政黨的機構。

『政黨可以經過合法的手續來變更國家的主管人，甚至於撤銷或新成立機構，但政黨不能以其黨的意旨來代替各機構所憑藉以成立的法律，不能憑藉屬於自己黨裡的主管人，而將機構變為黨的機構。』

——一九五四／三／四，〈從貪污事件看日本政治〉，《華僑日報》

泛論政治之十

『第一種領導的典型，我可以稱之為「百貨公司」的典型。

『百貨公司的經理人，最大的本領是表現在能夠「識貨」，能夠了解市場的「行情」。

『從世界所有的工廠中選擇出最適宜行情的貨色，定出適宜的價格，以適應市場的需求。它可以沒有一樣專門技能，但憑它的常識是可以衡量各種技能。

『它可以沒有一家工廠，卻可以利用一切的工廠。這拿到政治領導上說，一個領導者，因社會的潛力，以解決社會的問題；因國家的人才，以擔當國家的責任，自己只要有「識鑑別，有「量」加以容納，開誠心，佈公道，加以適當的安排。自己不要特殊的才能，而天下的才能都能效其用；自己不製造特殊的勢力，而社會的勢力都是政治的支持。此一作法，就是中國過去所說的「無為而無不為」的道理。無為而無不為，這豈不是政治領導上的最高藝術嗎？

『此外的一種領導典型，我可以假設為「萬能工廠」的典型。世界上絕不能有萬能工廠。這是現代的常識所不能允許的，所以現代只有百貨公司而絕無萬能公司。

『但在政治上這卻成為今日的領導藝術。此種領導藝術的要點是要在社會現成的潛力之外，創造出專屬於我的勢力；在社會現成的人材之外，培養出屬於我的人材。

『於是領導者自身縱然不要求成為一個神，其勢也非使自己成為一位萬能博士不可。

『這是古今中外最笨拙的領導藝術；而領導者自身也一定會成為悲劇的領導人。』

——一九五四／三／三十一，〈論政治領導的藝術〉，《華僑日報》

泛論政治之十一

『每一種政策，它的本身不能不有一種極限。聰明的政治領導人物，總是根據內外的情勢，扣緊自己的政策，在它達到極限時，立即加以調整。這就是中國所說的「窮則變，變則通」的道理。任何政策，執行時如在程度上、在時間上、超過了它的極限，它就必至於窮。窮而不變，則只有陷於絕境。』

——一九五四／四／二十，〈自由中國政治新動向〉，《華僑日報》

泛論政治之十二

『只有「人」才能解決經濟問題，並不是「經濟」可以解決人的問題。』

——一九五五／一／十八，〈從人物方面看日本政治前途〉，《華僑日報》

泛論政治之十三

『大凡奸猾出身的開國之主，到了他的末年，一定把有能力的人殺個乾淨，有如劉邦、朱元璋，只留下毫無能力的奴才，作他的看家狗；所以他們身後都遭遇到家庭的慘劇。』

——一九五九／一／二十三，〈劉備白帝城託孤〉，《新聞天地》五七一期

泛論政治之十四

『政治直接代表某一階層的利益。這是簡單有力的活動根據；若在自己階層利益之外，還要自動地照顧到其他階層的利益，因而使政治成為各種利益的諧和，這是中庸政治的理想，也是民主社會主義者的理想。但這須要更高的政治自覺，因而便須要像英國費邊社那種長期的文化工作，藉能在社會上培養出適合於此種要求的精神性向。這本不能期其收功於一旦的。』

——一九六〇／十一／二十九，〈日本民社黨的挫折〉，《華僑日報》

泛論政治之十五

『政治的成敗，主要決定於政治的目的、方向；但實行中的效率卻常常關係於政治運用上的技巧。

『世人每好以政治藝術來表明某種運用成功的技巧。但藝術之與魔術，常是差之毫釐，謬以千里。負實際政治責任的人，以自己所玩弄的政治魔術沾沾自喜地當作自己的政治藝術。許多政治中的悲劇，多是由此而來。

『藝術和魔術，都是為了化除政治運行中的障礙。但化除障礙是為了達到多數人所共同要求的目的，這便是一種藝術。化除障礙以保障少數人的特殊權益，這便會自然而然的流為魔術。

『順應大勢走的是藝術；偽裝順應大勢，而實際只是為了滿足少數人權利之私的是魔術。在曲折中誠心誠意去作的是藝術；在油腔滑調中兩重人格的是魔術。

『中國文化中，特別重視一個「誠」字，即是告訴人，只能學藝術而不可玩魔術。魔術有時也能收到短暫的效果，但一經拆穿後，再大的魔術師也就束手無策了。』

——一九六一／七／二十六，〈政治的藝術與魔術〉，《自由報》一五一期

泛論政治之十六

『其實，階級理論乃是在社會壓迫之下所激發起來的報復心理的表現。報復心理，並非完全是壞的，且為人類所不能避免的。但將此種報復心加以理論化、普遍化，以作為人類行為的最高標準，結果便由報復心理的累增不已，而完全壓服了自己的良心理性，視人類良心理性所不容的殘暴行為，為理所當然。』

——一九六一／十一／十四，〈人類前途的新保證〉，《華僑日報》

泛論政治之十七

『現在人們解釋問題過於現實化了，卻常忽略在現實的後，更有一個並非現實、卻不斷對現實發生不知其然而然的作用的東西，這即是我們所說的良心理性。能給人類前途以保證的不是科學、技術，而是人類的良心理性。

『所謂人類的良心理性，常常表現為尊重自己、也同樣尊重他人，寶貴自己的生命、意志，也同樣寶貴他人的生命、意志。一切合理的制度、風俗、生活的習慣，都是以此為根源而發展建立起來的。每一個人都有良心理性，每一個人也都有干擾良心理性的自私慾望；這在中國傳統文化中稱之為「私慾」，當私慾戰勝了良心理性時，他人的生命、意志，便會受到了損害。』

——一九六一／十一／十四，〈人類前途的新保證〉，《華僑日報》

泛論政治之十八

『「主義」，是人對現實問題所抽象凝聚起來的某種觀念，及對於某種觀念所發生的信心。一切主義，是人們為了解決自身問題所提供出的一種手段。所以「主義」是為「人」而存在，人絕非為主義而存在。

『自從有共產黨以後，人都變成了主義的手段，而主義則變成了人的目的。人可以受到任何犧牲，但印在白紙上的「主義」，卻是永恆不動的上帝，半絲半毫，動它不得。

『這是悲劇時代的滑稽性。』

——一九六三／三／十八，〈褪了色的共產主義〉，《華僑日報》

泛論政治之十九

『資本主義是未曾經過任何人的設計，而由市民階級一步一步所摸索出來的。共產主義則是經過一些思想家的設計所創造出來的。

『資本主義承認了自由的原則，所以資本主義的自身，實際是在不斷地修正，修正到使馬克思的預言完全失效。

『設計共產主義的依然是人，將此一設計移之於實行而引起流血最多的，只有基督教可以和它相比。所以共產主義在實驗中的修正，這是人類良心的必然表現。』

——一九六六／七／三十一，〈毛澤東與中國傳統文化〉，《華僑日報》

泛論政治之二十

『中山先生指出：對科學知識應迎頭趕上，對倫理道德應繼承、發揚我們的道統。

『中山先生的兩種主張，不是統一於思想、智識，而是統一於我們「民族之全」。

『在我們民族之全中，需要這兩樣東西的同時並進；不如此，便是偏、便是蔽，便是對於我們民族之全的損害。』

——一九六六／十一／十二，〈三民主義思想的把握〉，《國父百年誕辰紀念文集》第二冊

泛論政治之二十一

『主義，是某些人總結某些經驗而提煉成若干觀念，以解釋並解決某些經驗問題的。

『經驗是不斷地在演變，總結經驗的都是人而不是神，然則有什麼主義不可加以修正？

『並且革命的主義，是為了人民的要求，應接受人民的考驗。人民才是革命的主體，而白紙印上黑字的主義，只不過是人民所用的工具。人民有選擇工具的自由，更有修改工具的自由。

『凡是有生命力的主義，一定是不斷地修正，而且是受得起修正的主義。』

——一九六七／四／十五，〈論中共的修正主義〉，《華僑日報》

泛論政治之二十二

『政治是以權力為中心的活動。權力不一定是壞的；但權力與私人的權力慾望結合再一起，則必然是壞的。所以西方有人以政治為人類無可避免的一種罪惡。

『此一罪惡之所以無法避免，乃係人類必在集體中始能生活。有集體生活，便不能不有政治。

『政治的基本目的，本在於解決集體生活中的共同問題。』

——一九六八／四，〈文學與政治〉，《陽明》二十八期

泛論政治之二十三

『我們國家最大的遺產，是人民的勤儉精神。在人類歷史中成為不死之鳥、歷萬劫而不磨滅的，正是這種精神力量。

『中國文化，主要是教育人能保持人所自有的惻隱之心、是非之心、善惡之心、辭讓之心的人的基本條件。舊社會雖然有官僚、地主、土豪、劣紳等的欺壓，並且多數人民是文盲，但因文化長期的積累，勞動人民，在關鍵性的問題上，這四種心總會在不識不知中發生作用，以支持個人和群體的合理生存。』

——一九六七／六／八，〈大陸問題之漫談四〉，《華僑日報》

泛論政治之二十四

『新的獨立國家，為了解決自身許多困難問題，對西方的殖民主義，必須有所抗拒，這是理、勢所必然的。這種抗拒，只是為了掃除自己建設國家的障礙，並不能從這種抗拒中，直接得到建國的成果。國家平等自由的真正保障，是由國家的文化、經濟、軍事等所表現的力量。這些力量，不是靠撿便宜，弄權術可以得來的，而是要靠團結全國人民，作艱苦的努力，在成績上與世界先進國家爭一日之短長，才可以得到的。政治領導者是否盡了領導的責任、國家是否有真正的前途，都要在這一尺度上來加以裁定。此之謂「求其在己」、「盡其在己」。能求其在己、盡其在己，則一個國家的精神氣力，都集中到自己的實際工作之上，只希望從實際工作中得到真實的效果。』

——一九六七／六／十一，〈保障世界和平不能缺少的一個基本原則〉，《華僑日報》

泛論政治之二十五

『曾聽過李漢俊以「破壞與建設」為題的講演。大意是說明建設必須先破壞。大概因佛教千餘年來常強調「先破」「後立」的影響，所以李氏站在社會主義立場所說的意見，是很流行的意見。

『破壞非常容易，建設則非常困難。

『破壞與建設之間，不僅沒有相關的關係，並且由破壞走向建設，首先須作精神的轉換。

『從政治說，破壞是以敵人的政權為對象，要求以陰狠地心情、激烈地情感、運用詭詐的手段，先把敵人搞亂。建設是以自己的政權為對象，要求以博大地心情、正常地情感，運用堅實而光明正大的手段，先使人民安定下來。

『社會上不好的既成設施，應當用更好的設施來代替。不同的觀念與觀念之間，也應當用康德的「批判地方法」來處理，而不應用兩極性的破與立的方法來處理。

『這便對「建設必須先破壞」的命題值得非常懷疑了。』

——一九六七／六／二十，〈大陸問題漫談之六〉，《華僑日報》

泛論政治之二十六

『儒家認為人類的罪惡，是從無節制的慾望出來的；但並不認為慾望的自身即是罪惡。所以對統治階級而言，是要求節制自己的慾望；對人民而言，則須滿足他們的慾望。並且認為只有先滿足人民的慾望以後，才可加人民以教育，此即所謂先養後教。同時，儒家認為一個人在不自覺時，是由他的環境（包括階級）作決定。有了自覺時，則是由自己的人性作決定。』

——一九六八／一／二十八，〈在蘇聯的人性考驗〉，《華僑日報》

泛論政治之二十七

『日本的維新，是以天皇為中心所展開的，於是政治即是推進維新的最大力量。

『而中國則是在滿清政治專制壓迫之下所展開的，所以政治即是阻礙維新的最大力量。』

——一九六八／五，〈中日吸收外來文化之一比較〉，《百年來中日關係論文集》

泛論政治之二十八

『我國傳統文化，強調目的與手段的一致性。手段合理不合理的第一層次的區分，即在於公開或是秘密。中國儒家主張政治要公開，法家主張要秘密。民主政治最大特色之一，即在通過公開的選舉與辯論，以導向政策的決定。』

——一九七一／十／二十四，〈尼克遜外交的汙點〉，《華僑日報》

泛論政治之二十九

『我在這裡要特別指出的是，要防止共黨的發生、發展是內政問題，不是外交問題。貪污腐化，在社會問題上、在民族問題上、倒行逆施，並且阻礙經濟的合理發展，這才是真正使共黨得以發生、發展的營養劑。』

——一九七一／十二／三，〈東南亞和平安定的基本問題〉，《華僑日報》

泛論政治之三十

『社會本是一個大的分工結構；學生在此一分工結構中，不是擔承現實政治責任的。學生運動，絕對多數，是與現實政治關聯再一起；所以學生運動的發生，是學生生活中的變態而不是常態。此種變態之所以發生，乃是來自政治中最低的合理性受到威脅、人民起碼的意志也受到蹂躪、可以通上下之情的一切通路都被阻塞、以致社會面臨著鉅大的轉變期。這都會激發出大規模的學生運動。學生運動，常常在落後的政治、社會中，發生前進，領導的作用。

『從理論上講，學生運動，應當發生於統治者與被統治者完全隔絕的地區、應當發生於教育者與被教育者完全隔絕的學校。當民主政治能作有效的運行時，不致出現可以醞釀成「學潮」的嚴重問題，因而不應當出現學生運動。只有把學生當作「革命的群眾」時，才出現人工製造的學生運動。

『學生運動的有無及其歸趨，是政治民主的效率性，及社會結構的合理性，小之，是一個學校行政與教學者的誠實性，所提出的一種嚴重地考驗。』

——一九七二／二／十三，〈美國大學生的轉向〉，《華僑日報》

泛論政治之三十一

『社會主義，是要求社會革命的。既是社會革命，則鬥爭當然要擴及於全社會。但我覺得，人類只應當有政治革命，不應當有社會革命。由政治革命取得政權以後，一切社會改革，皆可通過立法在和平中加以實行。例如要打倒地主階級，為什麼不能由法令的規定來加以實行？地主犯的罪惡，為什麼不能通過法庭來加以處理？

『我的想法，人類只應當有兩種鬥爭。一是反帝國主義的鬥爭，一是反「反民主」的鬥爭。兩種鬥爭的目的只有一個，即是人類能在和平中生活。沒有平等，沒有自由，便沒有真正的和平；所以一切政治理想，必歸結於平等與自由的協和統一。』

——一九七二／六／七，〈維護人類和平生存的權利〉，《華僑日報》

泛論政治之三十二

『人類的過去、現在與將來，生存所受的最大威脅，是來自政治。

『政治，當然是支配人類生存的重大環境之一。但因人口增加與集中，科學技術對自然開發所引起的破壞；工業生產的排洩物所引起的空氣汙染等，構成了人類生存的另一種大環境威脅。

『人應當保持、乃至造成適合於人生活的環境，和人為了作為一個人的生存而應保有若干基本權利，其重要性本來是沒有什麼分別的。』

——一九七二／六／二十四，〈為人類長久生存的祈嚮〉，《華僑日報》

泛論政治之三十三

『一切人類的活動，只是為了能相互地、合理地、有意義地、一代一代地生存下去。給上述目的以最大的威脅的，還是來自人類自己，來自人類中的政治行為。

『人權觀念的出現、人權觀念成為憲法中的條文，使政府的一切活動，都以保障人權為基本出發點。這是人類為了從政治災害中解脫出來，能過著有意義地人的生活的偉大成就。

『一個國家到底是文明或是野蠻，一個政治人物到底是供功魁或者是罪首，都應以人權的實際情況作為橫斷的標準。』

——一九七二／六／三十，〈蘇聯的人權問題〉，《華僑日報》

泛論政治之三十四

『不滿是對現狀的厭棄，變是對新的方向、新的事物的追求。不滿是一種氣氛，變便要有創構未來的明確思想。』

——一九七二／七／十八，〈這是美國變的開端嗎？〉，《華僑日報》

泛論政治之三十五

『詐欺虛偽的產生，在於常與他人相接、與社會相接時，為了從他人身上、從社會方面，取得自己物慾——名、利、權力、情慾等的「踰分」的滿足。

『政治是人類最大地「物慾」寶藏；政治活動、政治鬪爭，實際即是最大的物慾活動與鬪爭。所以政治是詐欺、虛偽的最大的發酵與發揮之地。

『在民主政治之下，社會保有了解、追問、批評的自由權利，隨時可以揭穿政治人物的詐欺虛偽，也因而限制了政治人物的詐欺虛偽。』

——一九七二／九／十，〈拓大求真的精神吧〉，《華僑日報》

泛論政治之三十六

『由鬪爭轉向和平的可能性，乃在於即使是在鬪爭之中，鬪爭的雙方，也能保持某種敵、我兩方仍可以繼續共同生存的基礎。』

——一九七二／九／十九，〈維護人類可以共同生存的一條基線〉，《華僑日報》

泛論政治之三十七

『人是有階級性，但是我卻有二種補充的解釋。

『第一、階級性是可以突破的。知識分子有其階級性，但他們可以通過自覺而突破其階級性，走向為大眾的道路上去。

『第二、階級鬥爭是會促進社會進步和歷史發展，但並不是唯一的最高原則。代表社會正義的，多半是出自於被壓迫的階級。但知識、技術、組織、領導等便不一定是來自勞動階級。』

——一九七二／九／二十，〈政黨立場和國家立場〉，《新亞學生報》

泛論政治之三十八

『和平共存，實際是以「和平競爭」為基礎。競爭是不能避免、也不應避免的；競爭的結果，優勝劣敗，這是歷史的大趨向。問題是出在競爭所用的手段。以武力作競爭的手段，其結果並不能代表人類的真正願望，亦即是這只能算問題的積累，不能算問題的解決。』

——一九七三／一／三，〈一九七三年的待望〉，《華僑日報》

泛論政治之三十九

『學生運動，大體上可分為兩種性格。一種是在沒有建立起民主制度的時代或地區，當國家的正義或地位受到嚴重威脅時，學生運動，是以反映鬱積甚久的民意的性格而出現。一種是在已建立起民主制度的時候或國家，當民主制度運行銷滯，而又受到新思潮的激盪，但激盪的力量，還不足以進入到正常地民主制度中發生作用時，學生運動，是以時代開路的急先鋒的性格而出現。』

——一九七三／一／九，〈開羅學潮的背後〉，《華僑日報》

泛論政治之四十

『人類很早的黃金之夢，便是投向社會主義。在各民族的古典思想中，多少會帶有社會主義的意味，否則便不成其為古典思想。《周易》「君子以裒多益寡，稱物平施」，這是社會主義的思想。《論語》「丘也聞有國有家者，不患寡，而患不均」，這當然也是社會主義的思想。孟子的井田制度，是以農業生產為經濟基礎而實行社會主義的具體方案。荀子以禮來達到「各盡所能，各取所值」的政治要求，也是實行社會主義所構想出來的政治社會的原則。《禮記》禮運大同章的「天下為公」，「貨惡其棄於地也，不必藏於己；力惡其不出于身也，不必為己」；更描出了社會主義不是某國家某派的專利品。』

——一九七三／二／九，〈落後國家實行社會主義的難題〉，《華僑日報》

泛論政治之四十一

『先進國家，資本主義對勞動階級的榨取，是通過合法的契約形式。落後國家對人民大眾的剝削，常是通過強暴的巧取豪奪。因此，落後國家人民所受的不平的刺激、及「打抱不平」的要求，遠強烈過先進國家。由「打抱不平」的要求出發，自然走上社會主義的方向。

『社會主義（註：共產主義國家）的必須手段，便是加強政治的控制力量，使政府在革命口號之下，可以便宜行事。這便會使許多人（註：落後國家）以為這是使國家進步的簡捷道路，但事實上卻常與預期相反。』

——一九七三／二／九，〈落後國家實行社會主義的難題〉，《華僑日報》

泛論政治之四十二

『中國二千多年的專制政體，是形成國族一切災禍的總根源。要從災禍中挽救國命於不墜，必以實現民主為前提條件，這在今日，更洞若觀火。』

——一九七三／三／二十七，〈遠莫熊師十力〉，《華僑日報》

泛論政治之四十三

『水門事件，表現有下面的幾點意義：

『第一、此一事件發現後，美國人民，保有完全知道事件真相的權利。

『第二、此一事件處理的過程，證明了司法獨立，對行政權發生了制衡的作用，因而使政權不能不在政治常軌上運行，這便也間接保障了人民合理的生存權利。

『第三、水門事件的壓力，固然是來自法律，但主要是來自此種行為，一旦公開，所加在一個人的道德與人格上的難堪。

『這種道德與人格上的難堪，在落後地區的統治群中，根本是不存在的。』

——一九七三／五／二，〈何年何月，我們才能出現水門事件？〉，《華僑日報》

泛論政治之四十四

『不論古今中外，以一個偶像化的人物和意識型態作金字塔尖的極權統治的，必然是謊言的大集結。低級的集權，須要有弱勢的謊言。高級的極權，須要有強勢的謊言。領袖以謊言倡，臣下以謊言應。』

——一九七四／三／二十六，〈蘇聯統治者的意識形態與謊言〉，《華僑日報》

泛論政治之四十五

『一般的說，軍事政變，不是可以鼓勵的，但有兩種情形，應視為例外。

『首先，現代的獨裁者，有一整套壓制人民的機能，結果除獨裁者以外，社會上再沒有任何力量；除了軍事政變外，再無其他途徑可資選擇。

『其次，較好的軍人集團，其智慧、其良心、其品格，往往較獨裁者及其小集團，為優勝，為純潔。』

——一九七四／四／三十，〈葡萄牙的軍事政變〉，《華僑日報》

泛論政治之四十六

『是非的標準最難決定的，是與政治關聯在一起的行為。因為政治的實質是權勢，權勢可直接給人以禍福。權勢愈高的人必盡可能的把是非的標準操在自己手上，以驅策避禍、趨福的眾生，便自然產生以權力大小，作是非判斷標準的現象。

『於是真正的是非，只有等到此種權勢已經退潮或成為過去，才能大白於人世、給人心以安慰、給人類行為以指針。這便是歷史學家所擔當的任務。

『歷史上有其大是大非。大是大非之所在，是沒有爭論，也不能推翻的。何謂歷史的大是大非？簡單地說，一是民族的，一是人民的。

『當自己民族受到外敵侵凌時，誰是站在民族的一邊，誰是站在外敵的一邊，這種大是大非，真如日月經天，沒有人能加以改變。

『至於誰是站在人民的立場，誰不是站在人民的立場；誰是以人民為政治的目的，誰是以人民為野心的工具，這更是判決歷史人物的大是大非之所在。』

——一九七四／八／一、二，〈身後事非誰管得？〉，《華僑日報》

泛論政治之四十七

『言論自由、學術思想自由，是從人類幾千年的黑暗中所摸索、鬪爭出來的進化的大標誌。』

——一九七五／三／五，〈蘇聯史達林統治體制的反動本質〉，《華僑日報》

泛論政治之四十八

『生活的意識，決定生活的形態；而生活的形態，決定生存的權利。

『鬪爭決定於力量，力量來自大多數人；政治領導層、社會領導層，事實上必然是少數。這些少數人與大多數人的關係，是由生活型態所決定的。在生活型態上，必然和大多數人民的生活打成一片。生活的融合，乃是對大多數人最強有力的說服手段，

『生活形態來自生活意識。生活意識，是指一個人與社會大眾的「關聯感」而言。假定大家認為自己的生活，不應太突出於大多數人的生活之上，由這種意識所決定的生活形態，在生存鬪爭中才可發生力量。』

——一九七五／四／二十三，〈生活的意識、型態，決定生存的權利〉，《華僑日報》

泛論政治之四十九

『現實上的問題，沒有絕對性的是非，沒有絕對性的利害。所以對現實問題的處理，應先弄清楚本末、輕重之間，權衡它的是非、得失。若本末倒置，輕重不分，以致使政治社會，迷失了大是大非、大利大害的方向，即會貽大多數人以鉅大災害。』

——一九七五／十／七，〈西歐文明的顛倒〉，《華僑日報》

泛論政治之五十

『中國常將「貪汙」與「浪費」，結合在一起。

『貪汙、浪費之所以結合再一起，可用兩點來說明；一點是浪費納稅者的金錢，或以之市私恩、樹私黨，或以之過官癮、逞官威；這種性質的浪費，即是實質的貪污。另一點，凡是一個機關首長的浪費，必靠貪汙來支持，並誘發為他張羅浪費的部下，作集體貪汙的機會。』

——一九七六／二／十一，〈論香港可居狀〉，《華僑日報》

泛論政治之五十一

『中國從劉邦起，決沒有以打天下之臣來守天下的。這決不是如愚腐的書生們所說，打天下以武，守天下以文；天下打下來了，便應文武易位。而是幫著打天下的人，都是當時第一流的人才，都是憑自己能力以取得政治地位的人才；也即是開國之王，認為他的血統——後嗣，所不能駕馭的人才。為了血統的延續，必然以殺戮或「形勢的控制」，把這批人去掉，啓用四流以下的無才無格之徒來接班，而後死時才可以瞑目。』

——一九七六／三／二，〈毛澤東給尼克遜的角色〉，《華僑日報》

泛論政治之五十二

『所謂政權的基礎，是指一個政權，把自己的基礎，建立在甚麼東西之上，是對甚麼東西負責，由此以決定他們政權運行的大方向，以形成此一政權的規矩準繩。

『在中國的遠古傳說中，大概多是槍桿子出政權。

『而政權的「垂統」，則自夏禹傳子，到周公訂下立嫡、立長的宗法制度，則是以血統作他們政權的基礎。但武力、血統，對被統治的廣大人民而言，都沒有說服的力量；於是自古以來，在武力與血統之上，更抬上「天命」來壓迫在被統治者的身上。

『中國自周公說出「天視自我民視，天聽自我民聽」的話以後，天命常是與民心直接連結在一起，所以在理論上，二千多年以前，已浮出「民為邦本」、「民為貴，社稷次之，君為輕」的明確觀念；指出合理的政權，經常把它的基礎，建立在人民之上；人民才是政治的最高準繩，其他因素的意義，都要由此一準繩來決定。這是人類在政治上前進的大方向。』

——一九七六／十一／十七，〈一個「政權的基礎」問題〉，《華僑日報》

泛論政治之五十三

『社會主義革命興起的原因之一，並不是否定自由、人權；而是說近代的自由、人權僅為資產階級服務，是虛偽的自由、人權。』

——一九七七／一／二十六，〈人自身能力的恢復與解放〉，《華僑日報》

泛論政治之五十四

『人自身能力的恢復，自由、人權，是先行的條件；道德、正義，是共同的內容。

『人能作為一個獨立的人而堂堂的站起來的時候，潛在於生命內部的能力，才能發揮出來。生活在保有自由、人權的空間裡，人才可以作為一個獨立的人，得到人格尊嚴的鼓勵。

『近代各方面的進步，是由自由、人權所解放的人自身能力的解放。

『美國對人的生存權利及人格尊嚴所提供的保障，也是對美國人民自身能力的解放。

『只有在此一前提之下，才有真正的道德、正義可言，才可形成真正的信賴與團結。』

——一九七七／一／二十六，〈人自身能力的恢復與解放〉，《華僑日報》

泛論政治之五十五

『也有年輕朋友問我對左右派的看法。

『我答覆此一問題時，認為只要不是為了維護政治、經濟特權集團的利益、不是出於個人投機取巧的企圖，則在這一歷史鉅變中，左有左的道理、右有右的道理，不左不右有不左不右的道理。只有認為不做應聲蟲，便是反革命、認為不是同志，便是敵人的這一批，才完全沒有道理。國家一切的災禍，都是由這批人造出來的。

『今日若還有人認定「我是真理」、「我是道路」、「順我者生，逆我者死」，則這種人必然是自己懷有不可告人的隱秘，不敢與天下人共見，所以必然是天下最壞的人。』

——一九七七／八／三——十，〈瞎遊雜記之七〉，《華僑日報》

泛論政治之五十六

『不過我近來的傾向，認為一個政治家，應當在人格、人民、國家的真實問題上立基，不必枉費心機去談什麼哲學，尤其不必談什麼「系統哲學」。』

——一九七七／八／三—十，〈瞎遊雜記之七〉，《華僑日報》

泛論政治之五十七

『現實的經驗證明，鬪爭的勝敗，乃決定於權術。意識型態在鬪爭中不過是權術運用的一種。』

——一九七七／八／三——十，〈瞎遊雜記之七〉，《華僑日報》

泛論政治之五十八

『有人說，凡沒有決心治好瘡疤的，便不准人揭瘡疤。』

——一九七七／九／二十一、二十二，〈從「瞎遊」向「瞇遊」〉，《華僑日報》

泛論政治之五十九

『古今中外，對倫理道德的觀念，不完全相同；所以對罪惡的認定，也因之有所差異。但貪汙被認為是各種罪惡的源泉、是罪惡中的罪惡，卻是無間於古今中外。現實各國政府對貪汙的認定與處理，有寬嚴的不同；並不是來自對貪汙罪惡本質的認定有所不同，而係來自各該政府本身構成素質的不同，是各該政府在文明標準中所佔的高低層級不同。

『愈是墮落的政府，愈是對貪汙的尺碼放得寬，愈是對貪汙份子存有令人噁心的偏愛。』

——一九七七／十一／一，〈十月二十八日的警察事件〉，《華僑日報》

泛論政治之六十

『當調查委員會提出方案時（註：一九七八年發生在香港的金禧中學事件），也有人因感到不徹底而流露不滿。

『但我應鄭重指出：不徹底，即是表有妥協性；這是生活於自由社會中的必然現象，也是為了保持自由社會的必須條件。

『我記得，當封校、改名的問題發生後，有位負責人公開宣稱，這是「唯一的辦法」。

『「唯一的」觀念，只存在於形而上世界裡面；經驗世界有什麼可算是「唯一」的呢？

『現在總算把「唯一」的慣念推翻了，但也斷乎不必轉落到另一個「徹底」中去。』

——一九七八／八／十五，〈港事瑣談〉，《華僑日報》

泛論政治之六十一

『在四百多萬人的大社會（註：香港）中，有許多利益不同的團體，一方面是互相依存，同時也難免彼此矛盾。政府的機能，便在維持各團體間的利益均衡，不讓某一二團體的利益，由獨佔而與廣大市民的利益發生矛盾。尤其是不能聽任這種團體的脅制手段得逞，以致引起惡性的連環反應。』

——一九七八／八／十五，〈港事瑣談〉，《華僑日報》

泛論政治之六十二

『要有民主，才能有現代化，這已經有不少人提出過。

『以民主推動現代化，不僅是工作過程中的效率問題，而是這種效率乃是來自一般奴隸所不能有的主動意志的問題。主動意志，可以由金錢刺激，但更基本地是來自作為一個人所必須具有的基本權利，及隨附於基本權利的義務。

『不是附隨於基本權利的義務，即不是一個主體的人的義務，即是奴隸主對於奴隸所要求的義務。』

——一九七九／一／九，〈四個現代化以外的問題之一〉，《華僑日報》

泛論政治之六十三

『愈是落後國家，農業所佔的比率一定相當的大。凡是以人力為主的生產，其效率更有賴於生產的「生產意欲」。實行社會主義，把地主、官僚手上的土地拿過來分配給實際從事生產的農民，對農民的生產意欲，有刺激的效果。但由此再進一步，使農民掌握不到自己的土地及土地的生產品，而完全處於被支配的地位，便會大大打擊了農民的生產意欲，把生產當作無可奈何的敷衍形式，生產的效率必然會降低。

『生產管理，須要有專門的知識、技能。

『落後國家，不可能有這種大量的專門人才；少數專才，也得不到革命份子的信任。一下子國有化，數量多而結構散漫，再由外行的革命幹部去加以去管理，要憑革命口號去代替專門知識，只有發生反效果。

『社會主義一旦付之實施後，不僅是革命者的理想問題，實際也是革命者的權力問題。各種金融、產業、交通等的國有化，乃說明革命者手上的權力的無限擴大。若減輕社會主義的成份，等於減輕革命者手中的權力，會遇到現有權力者很大的抵抗。

『所以從社會主義的災難中脫出，決不是一件易事。』

——一九七三／二／九，〈落後國家實行社會主義的難題〉，《華僑日報》

泛論政治之六十四

『中國人在沒有受到不合理待遇時，便沒有中國人意識；在受到不合理待遇而感到恥辱時，即激發出強烈中國人意識。』

——一九七九／二／二，〈「破日」文章「渾漫與」〉，《華僑日報》

泛論政治之六十五

『打天下與治天下，適用的兩種不同的才略。打天下是破壞性的才略，而治天下則是建設性的才略。以打天下的才略來治天下，在歷史上沒有不及身失敗的。』

——一九七九／六／二十，〈大陸問題漫談之六〉，《華僑日報》

泛論政治之六十六

『權力慾望，人人都有。但落後地區的政治人物，有兩大特色。第一個特色是幻覺自己有超人的能力；第二個特色是幻覺他們的國家，若不由他掌權，上面的天使會塌下來。』

——一九七九／十／三十，〈歷史是可以信賴的——聞朴正熙被槍殺〉，《華僑日報》

泛論政治之六十七

『從歷史看，人民只要不受錯誤政策的干擾，不受貪官污吏的榨壓，他們所作的艱苦努力，必然會得到相當的成就。所以大亂之後，只要有十年左右的清明、安定的時間，社會便會恢復元氣，開始向前發展。』

——一九七九／十一／六，〈讀葉劍英講話的一些雜感之三〉，《華僑日報》

泛論政治之六十八

『我這裡的所謂觀念，是把層次不同的情感、意志、理論都包括在一起的。

『人類賴物質世界而生存，同時也是賴觀念世界而生存。物質世界可以影響觀念世界，觀念世界也同樣可以影響物質世界。

『有由物質世界而來的災禍，這在中國稱為「天災」。有由觀念世界而來的災禍，這在中國稱為「人禍」。

『由觀念世界而來的災禍，原因很多。其中以由神座下來的觀念，或由陰溝浮出觀念所造成的災禍，最為鉅大、慘毒。

『所謂由神座下來的觀念，即是把某種觀念，上升為神的意志，神的語言，因而賦予絕對權威的觀念。所謂由陰溝浮上的觀念，乃是並沒有可以在光天化日下出現的真實地觀念，而只有陰謀、詭謀、無限、殘酷等手段。

『伊朗前國王巴列維索用以殘殺政敵的手段，是來自陰溝浮出的觀念。現時宗教領袖柯米尼所用以殘殺異己的手段，是來自神座下的觀念。』

——一九七九／十一／十四，〈神座觀念的災禍〉，《華僑日報》

泛論政治之六十九

『一個國家對政策路線的觀點，不可能完全一致，也不應完全一致。但對不同觀點的並存是一回事；對政策路線的推行必須一致，則是另一回事。民主國家的內閣裡，如有人對執行的政策發生懷疑，便應當辭職，以保持內閣的團結，且以保持抱有不同意見者的意志自由。』

——一九七九／十二／十一，〈中共還是安定團結？抑是藏垢分肥！〉，《華僑日報》

泛論政治之七十

『在政治社會某些弊病積重難反，需要加以激勵改變時，示威運動或者有他暫時的意義。憑此以為國內奪權的工具，有時是很有效的。但由此所引發的後遺症，都相當嚴重，決不是值得鼓勵的手段。以示威運動對外，暫時可以激勵民心士氣，但事實上絕不能像對內的有效。』

——一九七九／十二／十八，〈「神座觀念的災禍」續篇〉，《華僑日報》

泛論政治之七十一

『言論自由，必然指的是批評的自由；而批評的主要對象，必然是面對統治者的行為及其政治路線。

『把言論自由與安定團結對立起來，根本不了解言論自由是「撥亂」的有力工具，撥亂才能反正，反正才能安定團結。』

——一九八〇／三／一，〈鄧小平缺少了些什麼〉，《華僑日報》

泛論政治之七十二

『政治野心的表現有二，一是既得的人要求「萬世一系」；另一是未得的人則要求取而代之。於是一方面死死把持不放，另一方面又得不到手便不肯罷休；一切最大的禍亂，皆由此起。

『由既得者的政治野心與未得者的政治野心，兩相對力所造成的死結，在真正地民主政治之下，才可獲得兩方面的圓滿解決，這即是「自由選舉」。』

——一九八〇／二／七，〈政治野心與自由選舉〉，《華僑日報》

泛論政治之七十三

『限制政治活動，以擴大社會生活的自由，是近代進步的最大標誌之一。

『沒有政治參與的生活，才可稱為社會生活；社會生活的自由，並非不受社會制約的自由。社會即是群體，群體必然有共許的風俗習慣性的制約，否則社會生活根本不能成立。社會生活的自由，主要針對政治而言。

『政治是以權力結構為體，以支配強制為用，這是人類在萬不得已中所存留的罪惡。政治不參與社會生活，是正當的。

『人類看問題時，常是不知不覺地在因、果系列中看。

『因拒絕政治參與的結果，而能保持更大的自由，最低限度，不因此而失去現在的自由，便應斷然加以拒絕。假定因拒絕某種政治參與的結果，是失去更大的自由，乃招致來莫大的災禍，便應接受某種政治參與以預防或阻止更大、更壞的政治參與。人類的現實行為，都是在這種因果關聯的比較中來決定的。』

——一九八〇／四／二十三，〈政治參與和社會生活自由〉，《華僑日報》

泛論政治之七十四

『封建政治，不等於是專制政治。在典型的封建政治中，王室分權於諸侯，諸侯分權於貴族，在分權與統治中，都有禮的規定與限制。

『決定封建特質的最基本條件是「身分制度」。即是由身分決定人的地位，決定人的權利、義務。

『專制把封建制度中的分權，集中於皇帝一人身上。』

——一九八〇／十一／十四、十五、十六、十八，〈舊封建制度與新封建制度〉，《華僑日報》

泛論政治之七十五

『社會主義吸引力之一，是來自有關文獻中，使人覺得它的正義感較封建社會、資本主義社會為強。社會主義被厭棄的原因之一，是來自由蘇聯起，在現實生活上它的歪風邪氣，較封建社會、資本主義社會更烈。』

——一九八一／十二／十五，〈港居瑣談〉，《華僑日報》

泛論政治之七十六

『對於重大的政治問題，有原則上的判斷，有技術上的判斷。技術從屬於原則，最後決定問題的是原則而不是技術。』

——一九八一／十二／二十二，〈最高的理想、最大的噩夢〉，《華僑日報》

泛論政治之七十七

『任何政黨都應當了解到他是國家之內的一個社團。經過政治競爭或鬥爭取得統治權以後，統治權的行使是對國家的利益負責，而不是對黨人的利益負責；黨人的利益，只有在國家利益可以允許的範圍內才可以得到。當兩者間發生矛盾時，只有為國家犧牲黨人，斷不能因黨人犧牲國家，這是國家與政黨共存的最低條件，也是政治家為了滿足自己權利欲望所必須遵循的最低條件。

『國家利益，即是意識的理想。一切行為措施，都決定於國家現實利益的要求。合於此要求者留，不合於此要求者去；合於此要求的發展，不合於此要求的淘汰。由此以樹立客觀是非的標準，重建政治社會運行的軌道；除了國家利益一個堅持外，不再有任何包袱。』

——一九八二／一／十一、十二，〈中共最缺乏的是什麼？〉，《華僑日報》

玖、軍事

軍事之一

『在娘子關一役中，我深切體驗到，並不是敵人太強，而是我們太弱。我們的弱，不僅表現在武器上，尤其表現在各級指揮官的無能。無能的原因是平時不認真的求知，不認真對部隊下功夫。』

——一九七六／一／二十四，〈娘子關戰役的回憶〉，《新聞天地》第一四五八期

軍事之二

『越盟所採的圍困方法，是每一攻擊行動，其目的是窘縮敵人的空間。任何方式的生存，必須依賴某一程度的空間。空間被剝奪了，其他支持生存的條件便功用發揮不出來，生存也自然歸於消滅。此一戰術本身並非萬全，但以對付物質方面占優勢，而精神方面占劣勢的敵人，則常常是十分有效。

『這種戰術，是直接導源於中共，間接導源於蘇聯的共產主義者征服世界的整套戰術之一例。此一套戰術，乃是擴張自己生存的空間，剝奪敵人生存的空間；將掌握空間，以空間去圍困敵人的觀念，代替戰場直接決戰的戰術觀念。

『奠邊府與徐蚌（註：淮海）之戰，雖一則有要塞的憑藉，一則沒有要塞的憑藉，但在共黨戰術的基本原則上，卻完全相同。所以越共對奠邊府的攻略戰術，其淵源完全出自中共，這是萬分明顯的。』

——一九五四／五／十五，〈奠邊府戰術的世界性〉，《華僑日報》

軍事之三

『在第二次大戰以前，及第二次世界大戰以後，戰爭的形態，出現了很大的變化。一直到第二次大戰為止，主要的戰爭，都是由第一流強國間的直接戰爭。但第二次大戰以後，第一流強國，常居於戰爭的幕後，讓第三流以下的國家從事直接戰爭；而第一流強國，常以他人的直接戰爭作為自己的間接戰爭，通過這種間接戰爭，以達到自己政治的目的。』

——一九七一／十二／九，〈從國際政治看印、巴之戰〉，《華僑日報》

軍事之四

『從一個國家對外戰爭的觀點說，政略決定戰略，戰略決定戰術。政略的失敗，不是戰略可以挽回；戰略的失敗，不是戰術可以挽回。從戰場的觀點說，兩方的武器懸隔不大時，決定於人的戰爭意志；兩方人的戰爭意志相去不遠時，決定於武器及其使用的技能。若戰爭進入到相持的僵局而進入長期戰爭時，戰局便由人的戰爭意志所決定。

『美國的武器，可以控制越南整個戰場，然而終不能逃出慘敗的命運。這是戰略的問題，這是美國人和南越反共者的人的問題。』

——一九七二／十二／二十四，〈越戰中的人與武器的問題〉，《華僑日報》

軍事之五

『克勞賽維茲的《戰爭論》，說出了「戰爭是政治的延續」這句話。

『這句話中的政治，主要是指外交而言。其重要意義在說明戰爭的本身沒有目的，而是以外交的目的為目的。外交的目的，是來自某個國家的國策。這種國策須向鄰國求得解決時，便形成外交活動；通過外交活動而不能達成目的時，便常以戰爭的手法去達成。此時的戰爭，是外交的延續。

『克氏認為，戰爭的特性是在把對方加以消滅。但因許多因素的限制、戰爭不能完成它的特性；結果，打了以後，又回到外交的椅子上，圖謀政治性的解決。』

——一九七五／一／十四，〈戰爭是政治的延續〉，《華僑日報》

軍事之六

『安全心理，實際即是對於敵方有把握的心理；安全心理，必是建立在優勢之上。』

——一九七五／三／十一，〈「你追我敢」的武器競爭〉，《華僑日報》

軍事之七

『在巴黎協定（註：越戰）的前夕，越共因犧牲太大而痛苦，美國因時間拖太長而焦躁；但越共能以決心及組織之力按捺下自己的痛苦，而美國卻在精神空虛之下，忍受不了自己的焦躁。』

——一九七五／四／八，〈季辛格外交路線的崩潰〉，《華僑日報》

軍事之八

『一個腐敗墮落的集團，面對著刻苦勤奮的集團，在鬥爭中必定失敗，必定會被淘汰。這與雙方所標舉的主義思想，沒有必然的關係。金錢武器，只有在刻苦勤奮者手上，才能發生力量；在腐敗墮落者手上，只是「假寇兵而齎盜糧」。中國的聖賢，對人類諄諄的教訓是：一切應求之在己，一切應盡其在己，一切必厚責於己而薄責於人；這類語言所表現的是人類最高的智慧。』

——一九七五／四／二十九，〈國際局勢的轉變、混沌、摸索〉，《華僑日報》

國家圖書館出版品預行編目資料

徐復觀教授看世界——時論文摘 四之三卷
政治 軍事

徐武軍、徐元純輯. – 初版. – 臺北市：臺灣學生，2018.04
面；公分

ISBN 978-957-15-1766-7 (平裝)

1. 言論集 2. 時事評論

078 107004622

徐復觀教授看世界——時論文摘 四之三卷

編 輯 者	徐武軍、徐元純
出 版 者	臺灣學生書局有限公司
發 行 人	楊雲龍
發 行 所	臺灣學生書局有限公司
地 址	臺北市和平東路一段 75 巷 11 號
劃撥帳號	00024668
電 話	(02)23928185
傳 真	(02)23928105
E-mail	student.book@msa.hinet.net
網 址	www.studentbook.com.tw
登記證字號	行政院新聞局局版北市業字第玖捌壹號
定 價	新臺幣二五〇元
出版日期	二〇一八年四月初版
ISBN	978-957-15-1766-7

07823